DU MÊME AUTEUR

Structural Models in Folklore and Transformational Essays (avec E. K. Maranda). 2e édition, revue et augmentée. Paris-La Haye, Mouton, 1971.

Introduction to Anthropology: A Self-Guide. Englewood Cliffs, New Jersey, Prentice-Hall, 1972.

French Kinship: Structure and History. Paris-La Haye, Mouton, 1974.

Ouvrages collectifs parus sous la direction du même auteur:

Échanges et communication. Hommages offerts à Claude Lévi-Strauss pour son 60e anniversaire (avec J. Pouillon). Paris-La Haye, 2 tomes, 1970.

Structural Analysis of Oral Tradition (avec E. K. Maranda). Philadelphie, University of Pennsylvania Press, 1971.

Mythology. Londres, New York, Sydney, Penguin Books, 1972.

Soviet Structural Folkloristics. Paris-La Haye, Mouton, 1974.

Symbolic Production symbolique, numéro spécial de la revue ANTHROPOLOGICA, 1977.

L'Appropriation sociale de la logique, numéro spécial de la revue ANTHROPOLOGICA, 1978.

Imposer la bâtardise francophone (avec Éric Waddell), numéro spécial de la revue ANTHROPOLOGIE ET SOCIÉTÉS, 1982.

DIALOGUE CONJUGAL

REMERCIEMENTS

Je tiens à remercier les personnes dont les noms suivent par ordre alphabétique:

Évelyn Cantin
Louis Forest
Dominique Legros
Louise Loiselle
Anne Paré
Alain Stanké
Josette Stanké

Leurs commentaires m'ont été précieux. La version finale du texte est, bien sûr, la mienne, et il ne faut pas leur en tenir rigueur.

Page couverture : Productions Stanké

ISBN 2-7604-0237-1

Dépôt légal : premier trimestre 1985

Imprimé au Canada

PIERRE MARANDA

DIALOGUE CONJUGAL

POUR LES COUPLES BIEN ASSORTIS, MAL ASSORTIS,
BIEN MARIÉS, MAL MARIÉS, RAFISTOLÉS, SÉPARÉS,
DIVORCÉS, ACCOTÉS... OU CEUX QUI SONGENT À LE DEVENIR

Stanké

À Jacques Languirand et à Lise Payette,

qui guident La Bonne Aventure
Par Quatre Chemins.

Personnages

ISABELLE, femme de François

FRANÇOIS, mari d'Isabelle

Le dialogue se déroule tout entier dans la salle à manger de l'appartement du couple.

ISABELLE

Laisse tomber ces histoires de divorce, veux-tu?...
...Encore un peu de dessert, chéri?

FRANÇOIS

Non, merci.

ISABELLE

Tu as bien mangé, chéri?

FRANÇOIS

Oui, oui... très bien... merci.

ISABELLE

On dirait que tu as du mal à accepter que je te fasse
des petits plats, un bon repas... Comme si ça... t'infé-
riorisait, comme si ça te... t'irritait, des fois.

FRANÇOIS

Moi? me... mais non. Tu sais bien que tu fais la
cuisine de façon admirable et que j'apprécie beaucoup ce
que tu me sers.

ISABELLE

Quand même, je ne sais pas... on dirait que tu m'en
veux de bien te traiter... de bien te «servir»!

FRANÇOIS

Il y a du café?

ISABELLE

Bien sûr, comme d'habitude. Comme d'habitude, il y en a pour toi, même si moi, je n'en prends pas. Tu as simplement demandé cela pour changer la conversation, parce que je te parlais de ton ressentiment à ce que je te «serve».

On le prend au salon?

FRANÇOIS

Au s... ben non, on est bien ici, à table.

ISABELLE

Comme tu voudras. Je vais le préparer.

Isabelle sort; François ouvre la radio, essaie deux ou trois postes, s'arrête à l'un où Pauline Julien chante La Manic *de Georges Dor. François s'allonge sur sa chaise, les yeux fermés; puis il regarde sa montre, se lève, esquisse quelques pas de danse avec une partenaire imaginaire qu'il presse de plus en plus sur sa poitrine jusqu'à s'étreindre lui-même, se caresse la nuque des deux mains, bras croisés sur la poitrine. Lorsque viennent les vers du refrain*
   «Si tu savais comme on s'ennuie
   à la Manic
   tu m'écrirais bien plus souvent
   à la Manicouagan»
il fredonne par-dessus:

«Si tu savais comm' je m'ennuie
à la maison,
tu m'appell'rais immédiat'ment
ma soeur, ma belle enfant!»

Il s'interrompt et retourne à sa chaise quand il entend le
tintement de vaisselle annonçant le retour imminent d'Isa-
belle. Celle-ci revient avec une cafetière et une tasse,
soucoupe, sucre, pichet de lait et cuiller sur un plateau.

ISABELLE

Tiens, un bon mélange Kenya noir/moka brun,
comme tu l'aimes depuis quelque temps. C'est vrai que
c'est nouveau, ça. Avant, tu ne buvais que du brun.
Depuis que tu prends ton café mi-noir, mi-brun, tu n'es
plus le même avec moi; tu as pas mal changé... D'où
t'est donc venu ce nouveau goût?

FRANÇOIS

Bof! je ne sais pas... je n'avais pas remarqué.

ISABELLE

Veux-tu baisser le volume, c'est une chanson qui
m'énerve.

François ferme le poste, non sans avoir attendu
quelques secondes.

ISABELLE

Tu sors ce soir, chéri?

FRANÇOIS

Mm...

ISABELLE

Je… peux te demander où tu vas?

FRANÇOIS

Bof… oui.

ISABELLE

Bon… Tu vas rentrer tard?

FRANÇOIS

… Sais pas.

ISABELLE

Ça veut dire oui! Encore une soirée à traîner toute seule à la maison, à faire des corvées plates, à attendre… à attendre que rien ne se passe. Ou bien peut-être une de mes copines va-t-elle me téléphoner pour me raconter ses malheurs.

Je dois toujours être là, moi, toujours être prête pour toi, au cas où… au cas où tu t'apercevrais que j'existe, moi aussi…

Ta bonne à tout faire, ton revenu d'appoint, ta bonne même à faire l'amour quand tu me fais l'honneur d'avoir envie de me baiser… une envie que tu as de moins en moins, d'ailleurs…

FRANÇOIS

Mais tu sais bien que…

ISABELLE

Qu'est-ce que je sais bien, hein? Finis ta phrase, vas-y!

FRANÇOIS

Ben... ben que... que je te considère beaucoup...

ISABELLE

Oui, tu me considères, tu «m'aimes» quand ça ne prend pas trop de temps, pas trop d'attention. Pourvu que tu t'aimes toi, d'abord. Moi, c'est les miettes. Une fois que tu as bien bouffé.

FRANÇOIS

Écoute, quand même, charrie pas!

ISABELLE

Charrie pas? Mais je te demande un peu qui de nous deux charrie! Tu ne t'occupes à peu près plus de moi. Sais-tu qu'il m'arrive, à moi, d'avoir des envies, et des besoins, à moi, à moi *aussi*, figure-toi! Des fois, j'aimerais tellement que tu restes à la maison. Ce soir, par exemple... et que je puisse me serrer contre toi... et... être là, dans tes bras, tout simplement bien.

FRANÇOIS

D'accord, d'accord, mais j'ai mes affaires, ma vie à vivre, mon boulot. Comme s'il fallait que je sois tout le temps à ton service — ton homme de main!

ISABELLE

Ça, ton boulot et tes affaires, je m'en doute. Affaires de coeur — affaires de cul bien plus qu'affaires professionnelles! Non? Tu trouves peut-être que je te prends trop de temps? Et le temps que tu passes avec elles, que tu *donnes* aux autres femmes? Si tu avais au moins un peu de reconnaissance pour moi...

Ça ne compte pas, hein, en dix ans de mariage, tous tes caleçons et tes chaussettes que j'ai lavés, tous les marchés que j'ai faits pour que ton assiette soit bien garnie, tous les repas que je t'ai préparés et servis... Compte donc, pour voir, toi qui aimes chiffrer: tu changes de chaussettes, de chemise et de slip tous les jours: donc, 365 fois par année. En dix ans, j'ai lavé, fait sécher, plié et rangé 3 650 chaussettes, slips et chemises, non, plus que ça, parce que les chaussettes, c'est des paires.

FRANÇOIS

Oui, j'allais te corriger: ça fait 7 300 chaussettes. Et toutes mes chemises en plus des slips, un total de 14 600 articles, articles sales, hein, dégoûtants. À, je ne sais pas, dix ou vingt gestes pour les mettre dans la machine à laver puis dans la sécheuse, les plier, les ranger, donc au moins 150 000 gestes à mon service, seulement au compte vestimentaire. Et ajoutes-y les repas. Et puis recalcule tout ça en temps. Ça en fait des heures, hein! Donc, je te dois combien d'heures de mièvreries?

ISABELLE

Dix ans de ménage et de torchage, où est-ce que ça m'a menée? Sur le carreau, là, toute seule à me morfondre quand j'aimerais être cajolée, quand j'aurais besoin de sentir que je suis quelqu'un pour toi et que tu me regardes comme quelqu'un, pas juste comme un... comme un meuble ou un robot. Si tu voyais la façon absente, comme tannée dont tu me regardes... j'aimais tellement ton regard vif, un peu coquin, ton regard d'autrefois...

Mais qu'est-ce qui nous arrive? Pourquoi? Qu'est-ce qui nous a amochés?

FRANÇOIS

Tu veux que je te dise?

ISABELLE

Sois pas si féroce… Tu as tes yeux pointus que je n'aime pas. Calme-toi, chéri, tu me fais peur!

FRANÇOIS

On finit toujours par haïr ceux qui nous servent.

ISABELLE

Quoi!

FRANÇOIS

Oui, oui, tu as bien entendu. On finit toujours par haïr ceux qui nous servent. Surtout quand ils le font sans salaire. On les tient pour acquis. Surtout quand ils nous servent au nom de prétendus nobles sentiments, comme la dévotion, l'amour: de la merde, quoi!

ISABELLE

C'est horrible, ce que tu dis là. Horrible. Horrible et méchant. Et veule.

FRANÇOIS

Mais non, je ne suis que lucide.

ISABELLE

Tu es un salaud. Un salaud d'homme. Un cochon, oui, un cochon.

FRANÇOIS

Bof! Tu t'excites pour rien. Si tu veux savoir ce que je pense, il n'y a rien de plus assommant, tu sais, que de rester le soir à la maison.

ISABELLE

Après avoir fait le baveux au bureau toute la journée...

FRANÇOIS

... Il n'y a rien de plus assommant que de rentrer à la maison et d'y trouver une femme toute pleine du besoin de toi... toute... servile. Quand on s'humilie à servir, on perd sa dignité — à moins d'être une femme très forte ou manipulatrice. Et je dirais qu'une femme ne peut être forte sans être manipulatrice. Ce que vous avez appris de vos mères, de toutes façons, comme première règle de l'art, c'est la manipulation des hommes. Seulement, il y a des femmes qui sont plus adroites que d'autres, qui sont de meilleures artistes. Ça fait qu'on n'a plus envie de rentrer à la maison, après un bout de temps de vie commune. Tu penses que c'est intéressant de revenir tous les soirs à une personne dolente, à quelqu'une de plaintive parce qu'elle s'est avilie, hein?

ISABELLE

Comme si c'était plus gai pour moi! Toute la journée, au travail, je dois supporter les baveries des mâles vantards, les rudesses des femmes qui ont autorité sur moi, qui sont vicieuses parce qu'elles sont sur leur déclin, qui t'en veulent parce que tu es plus jeune ou plus attrayante... tout ça pour te gagner un salaire et que ton bonhomme te trouve plus valable. Si au moins ton bonhomme te montrait un peu d'appréciation, le soir...

Que c'est triste, tout ça!

FRANÇOIS

Bof! Les femmes qui travaillent, elles le font parce qu'elles veulent être reconnues socialement, pour être cotées, comme les hommes, par un salaire. Elles travaillent pour montrer qu'elles *valent* quelque chose.

ISABELLE

Mais avant de rentrer faire la cuisine, je dois courir à l'épicerie pour qu'on ait des choses fraîches, du bon pain. Pendant que toi, tu vas prendre l'apéro avec tes copains ou avec ta maîtresse en lui chantant la pomme. Puis, une fois que tu t'es débarrassé de ton devoir conjugal en venant manger ce que ta servante a mis tout son coeur à te préparer, tu cours rejoindre cette femme-là pour lui frotter les fesses.

FRANÇOIS

Il n'y a rien de plus assommant que de trouver une femme chiante en rentrant du bureau. Une qui a besoin de toi, qui te revendique... qui s'accroche à toi et te le fait sentir... quelqu'un qui te revendique comme son dû, comme si elle avait des droits sur toi parce qu'elle t'a servi. Comme si tout ça, c'était une affaire de comptabilité: je te sers, donc tu dois m'aimer, et tout le tralala...

Moi, les emmerdements que je dois supporter, je ne te les tartine pas comme une diarrhée sur la moquette pour te les faire renifler, hein?

ISABELLE

Tu voudrais que je… que je ne puisse pas compter sur toi pour mon réconfort…

FRANÇOIS

Je voudrais simplement que tu ne m'écoeures pas! C'est pourtant clair!

ISABELLE

Salaud! Salaud! Heureusement qu'on n'a pas d'enfants! Ils auraient été des monstres eux aussi, comme toi!

FRANÇOIS

Bof! n'oublie pas que tu aurais été, toi aussi, pour moitié dans leur malheur.

ISABELLE

Écoute, chéri… Non, non! tu ne peux pas être vraiment si cruel! Tu ne comprends donc pas combien tu me fais mal, François?

FRANÇOIS

Tu me connaissais avant notre mariage. On est quand même sortis ensemble un bon bout de temps, plusieurs mois, avant qu'on prenne un appartement commun. Si tu t'es trompée sur moi, si tu m'as pris pour meilleur que je suis, à qui la faute? Ce n'est pas moi qui ai commis une erreur de jugement, hein?

Puis, c'est toi qui as insisté pour qu'on se marie. À cause de tes parents. Ce n'est pas moi qui ai couru après le mariage.

ISABELLE

Tu te rappelles notre voyage de noces en Gaspésie? On n'avait pas beaucoup d'argent, à ce moment-là... on était pas mal plus heureux, aussi... Tu te rappelles, là, sur la plage, à la baie des Chaleurs... comme on faisait l'amour... et on mangeait bien, pour pas cher... et quand on a fait l'amour dans la mer... Oh! je pensais, moi, être devenue toute la mer, la mer qui débordait et qui recouvrait toutes les terres du monde, une grande marée qui n'en finissait plus de monter, de monter, en grandes vagues douces et vastes, en grandes vagues violentes de douceur et de beauté... Chéri, tu ne peux pas avoir oublié ça, non, tu ne peux pas nier tout cela!

FRANÇOIS

Non, je ne le nie pas. Mais, d'abord, je te ferai remarquer que les souvenirs que tu évoques, c'est des souvenirs à toi: des souvenirs de tes extases à toi. Si toi, tu les a trouvées extraordinaires et que toi, tu te les rappelles, il n'en est pas nécessairement ainsi pour moi. Vous autres, les femmes, vous vous imaginez que vos plaisirs les plus intenses ont aussi été les nôtres et que nous devrions nous en souvenir avec autant d'attachement.

Sans doute, tu as raison, on a passé de bons moments ensemble — non, je ne le nie pas. Mais ce n'est pas parce que le passé a pu être bon que l'avenir le sera aussi. Au contraire. Tu vois, dans toute relation entre un homme et une femme, il y a un plateau après le premier sommet. Nous, nous avons atteint le nôtre il y a...

ISABELLE

… Il y a deux ans. Oui, quand tu as commencé à sortir sous toutes sortes de prétextes, quand tu t'es mis à partir en voyages d'affaires le vendredi soir jusqu'au dimanche soir, hein? Ça fait exactement deux ans. Deux ans, qu'on l'a atteint, notre plateau. Mais c'est un plateau incliné vers le bas. Depuis, c'est la dégringolade.

FRANÇOIS

Si je me suis mis à sortir, c'était signe de quoi, penses-tu? Je vais te le dire, moi: c'était signe qu'il y avait quelque chose qui clochait entre nous. Ce qui clochait, c'était que, comme tous les couples après un certain temps, on s'est tenus pour acquis et qu'on s'est laissés aller…

ISABELLE

… Laissés aller? Toi, oui. Mais moi, penses-tu que les hommes me reluqueraient encore si je m'étais laissée aller? Toi, tu changes de femmes au lieu de te changer, toi, par le dedans. Au lieu de te remonter toi-même, pour remonter la pente par tes propres efforts, tu aimes mieux aller chercher des remontants ailleurs, des remontantes, plutôt, des femmes qui te remontent le moral… et autre chose, sans doute! C'est tellement plus facile, hein, mon chou? Avec elles, tu ne verrouilles pas ta braguette.

Non, chéri, tu te laisses aller tout le temps. Sur la pente douce vers le bas. Tu t'es laissé aller avec moi, puis tu te laisses aller avec d'autres, je le jurerais. Tu trouves ça plus commode que de rester attentif, éveillé aux besoins d'une autre… Au lieu de te changer, toi, tu aimes mieux changer de servantes, de servantes de ton ego. Évidemment, moi, je suis la bonne qu'on renvoie, malgré ses années de service fidèle, parce qu'une autre se pointe, qui connaît la nouvelle cuisine. Mais elle aussi, quand tu l'auras assez fait baver, et que tu devrais commencer à changer pour que ça marche avec elle, plop! tu la laisseras tomber. C'est noble, hein? C'est comme ces gens qui changent de maison chaque fois que celle du moment commence à décrépir. Ils sont trop veules pour la réparer!

FRANÇOIS

Bon, tu m'as assez dit que j'étais veule. Mais toi, tu es servile, ce qui est encore pire. Tu sais ce que c'est, la servilité? C'est une inertie, une soumission avilissante à un modèle éculé, un manque d'initiative et d'originalité. C'est être victime d'une routine assommante. Voilà ton manque d'entretien, à toi. Tu peux te maquiller, faire de l'aérobie et surveiller ce que tu manges pour garder tes formes, ça n'aidera jamais: c'est ta forme intérieure que tu ne gardes pas. C'est ta forme intérieure, ta personnalité, que tu n'as pas entretenue. Ça, je te le dis, c'est autrement plus grave que les formes extérieures, hanches et seins compris!

ISABELLE

Comme tu es dégoûtant! C'est parce que je l'ai mise à ton service, seigneur et maître, que ma personnalité serait maintenant toute croche, si, toutefois, elle l'est, comme tu essayes de me le faire croire pour m'inférioriser... C'est de cette façon que tu me remercies de tout ce que j'ai fait pour toi. Et que je fais encore pour toi!

FRANÇOIS

Tu reviens...

ISABELLE

… Oui, oui, je sais: tu vas me dire que je reviens en arrière, que je retombe dans le mercantilisme, que l'amour ne s'achète pas et que ce n'est pas parce que je fais la bêtise de te servir que je devrais m'attendre à être récompensée. Tu te trompes: j'ai toujours vu notre couple comme une association, comme une coopération… j'aimerais pouvoir dire: comme une connivence profonde… mais je me suis bien gourée…

Prends mon travail à l'extérieur. Je l'ai toujours conçu comme une contribution à notre mieux-être; mon salaire nous a permis d'acheter de plus beaux meubles, de faire des voyages, de mieux boire et de mieux manger… Ça t'a aussi permis un train de vie que tu n'aurais jamais eu autrement. Ça te permet même de te payer des fredaines.

François, sois honnête pour une fois: si j'étais tordue, comme tu penses, reconnais que ce serait toi qui m'aurais tordue, avec ton ego à toi, avec ton ego-ïsme!

FRANÇOIS

Si j'avais continué à vivre seul, mon salaire aurait été bien suffisant pour que je me paye toutes les fredaines dont j'aurais eu envie. Ça coûte cher parce qu'on est deux. Un appartement plutôt qu'un studio, et tout le reste.

ISABELLE

Ce que tu veux dire, en somme, c'est que tu en as assez de moi, non?

FRANÇOIS

Ce n'est pas que j'en aie assez de toi comme telle, tu comprends. C'est la situation, après toutes ces années…

C'est l'usure du quotidien... J'ai besoin de changement, des fois. On ne mange pas de steak tous les jours, pas moi en tout cas, et on ne boit pas du champagne tous les jours non plus, ça deviendrait dégueulasse. Des fois, ça fait du bien de manger des hot-dogs ou de boire de la bière.

ISABELLE

Oui. Tu as besoin de ta bonne bière bien pétillante qui te fait monter les bulles à la tête. Ta bière, elle est moins difficile à digérer que ton champagne quotidien, qui te fait roter.

François, tu aurais dû rester célibataire.

FRANÇOIS

Ben, c'est ce que je te disais: ce n'est pas moi qui ai couru après le mariage...

ISABELLE

Oui, tu aurais dû rester célibataire. Tu es trop irresponsable, trop... impossible, non, ce n'est pas le mot que je cherche... tu es trop inconscient, oui, trop inconscient pour être capable de vivre à deux. Tu es trop inconscient des autres.

FRANÇOIS

Bof, oui, c'est possible...

ISABELLE

Et ça ne te fait rien! Tu t'en fous! Tu acceptes de plein gré? J'ai beau faire de mon mieux, t'implorer...

FRANÇOIS

… Surtout pas ça, hein! Y a rien de plus chiant que les supplications et la chialerie.

ISABELLE

Il n'y a rien que tu détestes le plus, aussi, que les scènes. Tu n'entends rien si j'élève la voix et rien non plus si j'implore. Mais es-tu donc complètement sans coeur? Il n'y a vraiment pas moyen de te parler, de t'atteindre, de te rejoindre? Pourtant, toi, un journaliste et un spécialiste en communication… mais c'est vrai que tu communiques surtout électroniquement: avec des fils et des fibres optiques plutôt qu'avec tes tripes… Tout ce qu'on peut te dire passe sur toi comme de l'eau sur le dos d'un poisson. Oh! ce que j'en ai marre, marre!

FRANÇOIS

Moi aussi, j'en ai marre! En passant, tu sais ce que ça veut dire, «en avoir marre»?

ISABELLE

Non, et je m'en fiche.

FRANÇOIS

Tu as tort. Écoute, pour une fois!

ISABELLE

Pour une fois tu en as de bonnes!

FRANÇOIS

Ça va, ça va. C'est un de mes copains qui m'a servi son «avoir marre» à midi, au resto. Ça vient d'un vieux terme, «se marrir». Auparavant, on disait «être marri», «marri» avec deux «r» mais ça ne fait rien. En avoir marre, c'est l'état de celui qui est «marri», donc l'état d'un «mari». Se marier, c'est opter pour être marri — pour un homme, en tout cas. Tu piges, là?

ISABELLE

Comme tu es aimable! Tiens, puisqu'on parle du bureau, une copine à moi, l'autre jour — elle est d'origine suédoise...

FRANÇOIS

... Ah! une belle blonde Scandinave?

ISABELLE

Je te la présenterai et tu la garderas en réserve pour le moment où tu auras dégoûté ta maîtresse actuelle. Mais pourquoi je disais ça?

FRANÇOIS

Est-ce que je sais, moi? Moi, en tout cas, je te disais qu'être un mari, c'était être marri, en avoir marre...

ISABELLE

... Ah oui! le bureau. Bon. Tu sais ce que ma copine disait?

FRANÇOIS

Comment voudrais-tu que je le sache: je n'étais pas là et tu ne me l'as pas encore dit.

ISABELLE

Elle disait qu'il y a un proverbe scandinave... Attends que je me souvienne. Oui, je l'ai, à peu près en tout cas: «Les jeunes filles sont si charmantes, d'où viennent donc toutes les vieilles chipies?»

FRANÇOIS

... «Les jeunes filles sont si charmantes, d'où viennent donc toutes les vieilles chipies?» Ah mais oui! c'est génial! Tout à fait génial. Tu vois: les femmes charmantes deviennent de vieilles chipies. C'est votre destin. L'âge, je suppose... Seulement, il y en a qui deviennent chipies avant leur tour, plus jeunes que d'autres. Alors, il faut se dépêcher de les laisser tomber, celles-là!

ISABELLE

Notre destin! Mais pauvre toi, tu sais qui les transforme en chipies, les jeunes femmes charmantes?

FRANÇOIS

Bien sûr, je te l'ai dit: l'âge. Au début, tant qu'elles sont en chasse et qu'elles veulent attraper un homme, elles sont toute séduction, tout charme, toute beauté et toute douceur. Mais une fois qu'elles ont attrapé leur bonhomme, c'est là que ça change. Leur vraie nature éclate au grand jour. L'âge révèle le fond du coeur, non?

ISABELLE

Espèce de chauviniste! Mais non! Ce sont les hommes qui transforment les femmes en chipies. Parce qu'elles sont traitées avec dédain, avec mépris par leurs cons de maris, elles deviennent toutes meurtries. Ça fait mal, très mal! Tu comprends, non? À force d'avoir mal, on finit par être mal, et par se plaindre. Et là, vous autres, les hommes, vous nous traitez de chipies.

FRANÇOIS

Et nous autres, les hommes, on est marris. C'est un beau fiasco, le mariage, hein? Une institution pour bien se marrer. Le mariage ne forme qu'à une seule vertu: le cocuage. En fait, si on acceptait le cocuage vraiment, profondément, il serait une vertu par son aspect d'économie de partage — alors que l'économie que nous vivons en est une de propriété exclusive, jalouse... Le cocuage, au lieu d'être ressenti comme une insulte, comme un crime, deviendrait une valeur de générosité — comme chez les Inuit, à ce qu'il paraît!

On aurait simplement dû, toi et moi, vivre ensemble sans nous marier... mais non, ça n'aurait rien changé: c'est l'accoutumance et la vie de tous les jours qui finissent par nous avoir. On finit par se faire baiser par la vie à force de toujours baiser avec la même...

ISABELLE

Tu exagères. Le quotidien, c'est fait pour s'aimer toujours plus, pour se renforcer l'un l'autre: pourvu, encore une fois, que ni l'un ni l'autre ne se laissent aller. «Aujourd'hui plus qu'hier et bien moins que demain», comme il était gravé sur le pendentif que tu m'as donné au début de notre mariage, tu te souviens?

FRANÇOIS

Ah oui! je t'ai donné ça, moi? Non, vois-tu, se frotter toujours à la même personne, c'est ça qui use, c'est ça

qui aplatit la vie. On se frotte en faisant l'amour, en
mangeant ensemble, en parlant ensemble, en sortant
ensemble: ça érode, ça, on ne peut l'empêcher. Ça érode
et ça aplatit.

ISABELLE

Je pense que tu te trompes. C'est une question de
point de vue. Est-ce qu'on ne pourrait pas concevoir la
vie quotidienne comme... comme la gymnastique, par
exemple? Plus on en fait, meilleur on devient, plus on
est en forme. Mais, je me répète: ça implique qu'on ne
se laisse pas aller.

Pauvre François! Comme je te le disais, tu es sans
doute fait pour vivre seul, te laisser aller et devenir un
vieux garçon ventru, sale, encrassé dans tes habitudes de
vénération de toi-même. Pendant encore quelques années,
tu te donneras l'illusion de garder un certain élan, soutenu
par des femmes que tu sauras encore séduire — mais de
moins en moins, à mesure que tu auras dégringolé plus
bas. Pour le moment, tu peux changer de maîtresse aussi
souvent que tu changes d'auto — au moins tous les deux
ans. Puis, un jour, tu n'auras plus assez de capital séduction pour en conquérir de nouvelles. Mais tu pourras les
payer en argent, non?

FRANÇOIS

La société de consommation, quoi!

Nos parents, comme les autos qu'on faisait dans leur
temps, et comme leurs meubles, comme leur maison: leur
mariage, c'était pour la vie. Du solide, du durable.
Aujourd'hui, il n'y a plus rien qui dure. Il faut que le
mariage se mette au pas de l'économie. Pourquoi un
mariage devrait-il durer plus longtemps que le matelas

sur lequel il se consomme? Nous, en dix ans, on a dû changer de matelas au moins deux fois, hein?

ISABELLE

Oui, mais celui que nous avons maintenant durera longtemps encore, au rythme où on va. Les deux premiers, on les as vite usés, mais, depuis...

FRANÇOIS

... Comme tu le disais, on change de mari ou de femme comme on change d'autos. Le contrat de mariage devrait comporter la mention «Automatiquement périmé après deux ans — désormais invalide». Même pas renouvelable. Après deux ans, fini! Liberté recouvrée de force. Même s'il faut leur arracher le coeur, aux deux conjoints. Mais ils sauraient dès le début, et explicitement, les règles de l'institution. Défense de poursuivre la vie commune après deux ans. Dis donc, tu en verrais des activités maritales! Et quelles retombées économiques! Penses-y! Robes de mariées, voyages de noces, mobiliers, cadeaux, banquets, notaires, fleuristes, même les curés, si le pape acceptait ça! Puis, toute l'ardeur, toute la passion suscitées! Meilleur stimulant que la cocaïne, le mariage éphémère: on n'aurait que deux ans pour s'aimer: on le saurait, et on s'aimerait à bloc, hein!

ISABELLE

Tu crois? Naïf, va! Ben non. Pas vous, les hommes, en tout cas. La première année ne serait pas terminée que vous commenceriez déjà à explorer ailleurs, à reluquer d'autres femmes, à chercher celle qui pourrait être la suivante — même plus: à reluquer celles, au pluriel, qui pourraient être *les* suivantes, et vous vous en feriez toute une liste dans un petit carnet secret. Et vous commenceriez à avoir des affaires dès la fin de la première année de mariage, sinon avant, pour préparer votre accouplement biennal suivant!

Pauvre François! Comme je te disais, tu es inconscient, et tu ne connais rien à la psychologie la plus élémentaire. T'es rien qu'un aveugle. Tu en as trop plein les yeux de ta propre petite personne. Tu ne vois pas les autres comme ils sont; tu ne sens pas leurs besoins; tu ne leur es pas présent. Car ils te sont invisibles... Pauvre toi, va... Et dire que...

FRANÇOIS

... Dire que quoi?

ISABELLE

Dire que... que... merde! je t'aime!

FRANÇOIS

À ta manière, sans doute. Ta manière que tu voudrais m'imposer.

ISABELLE

Fais quelque chose, essaye de me comprendre! Essaye de changer un peu!

Penses-tu pas qu'on... qu'on pourrait... recommencer qu'on pourrait retrouver...

FRANÇOIS

Je ne crois pas... vois-tu, je pense qu'on a perdu les pédales...

ISABELLE

Chéri, si tu voulais...

FRANÇOIS

... Excuse-moi une minute, il faut que j'aille aux toilettes.

François quitte la salle à manger. Isabelle, d'abord le regard dans le vide, deux larmes coulant lentement sur ses joues, s'accoude sur la table et joint distraitement les mains devant elle. Elle incline la tête en avant et reste immobile jusqu'au retour de François, qui rentre l'air soucieux.

ISABELLE

Tu restes encore un peu?... Tu ne sors pas tout de suite?

FRANÇOIS

Bof! j'attends un appel.

ISABELLE

Elle tarde à t'appeler, non? Pauvre elle... Comment est-elle? Tu pourrais bien m'en parler un peu, non?

FRANÇOIS

Bof... laisse faire...

ISABELLE

Tu parlais de cocuage, tout à l'heure, comme d'une vertu. Tu me la fais pratiquer, que je le veuille ou non.

Alors, pourquoi ne pas être honnête, franc, clair? Je ne te demande pas de me parler d'elle pour que je connaisse mieux ma rivale et puisse la démolir à tes yeux. Je ne te demande cela que parce que... parce que tu es mon ami, et moi la tienne — du moins l'ai-je toujours cru.

FRANÇOIS

Ben oui... Mais écoute, y a des choses que... qui...

ISABELLE

... Qui ne me regardent pas? Ou bien qui sont trop difficiles à dire?

FRANÇOIS

Oui, c'est ça... et puis, vois-tu... elle croit en moi, elle!

ISABELLE

Ah oui! *Elle*! Comme si moi, je ne croyais pas en toi! Si je n'avais pas cru en toi, penses-tu que je serais restée tout ce temps-là ta servante, penses-tu que...

FRANÇOIS

... Ah! ce n'est pas pareil!

ISABELLE

Bien sûr, ce n'est pas pareil. Elle, elle te renouvelle. Elle t'adore, elle! Elle réussit ce tour de force de relisser ton plumage un peu fatigué, d'astiquer ton ego un peu terni par dix ans de vie avec moi et de lui faire reprendre de l'éclat, de la jeunesse, de la splendeur, non? Du moins, tu le crois. Elle, elle réussit ce que moi, bien que bonne à tout faire, je ne suis plus bonne à faire.

Ça doit être bien triste d'être un homme. Vous êtes à plaindre. Vous êtes des trous pleins de vous-mêmes et vous poussez la suffisance et l'arrogance jusqu'à vouloir remplir les femmes de votre vide. Et nous, les folles, on se laisse séduire et vider, oui, vider... Vous êtes des suceurs de sang, des suceurs d'âme, des vampires, des... Dracula!

FRANÇOIS

Bon, charrie encore! Nous, on ne s'empêtre pas dans la sentimentalité. On sait reconnaître qu'une chose qui a fait son temps, ben, elle est finie. Nous, les hommes, on fait marcher le monde et, quand une chose a fait son temps, il faut la remplacer pour que le monde continue à marcher. S'il fallait se fier aux femmes pour que le monde fonctionne, on n'irait pas loin! Tout tomberait en panne après deux ou trois semaines, c'est bien connu.

ISABELLE

D'abord, c'est faux. Tu ne fais que répéter des clichés, et éculés en plus. Ensuite, s'il y avait des pannes, ce serait des pannes bienfaisantes, des pannes qui dépollueraient le monde en pas grand temps. En fait, on s'arrangerait pour qu'il y ait des pannes pour pouvoir enfin délivrer le monde de toutes les conneries mécaniques qui le détruisent sous prétexte de productivité et d'efficacité accrues.

Puis, quant à l'essentiel, on ne tomberait pas en panne. On ne tomberait pas en panne d'amour, tu peux en être sûr, comme c'est le cas chez les hommes au pouvoir! Grâce aux femmes, ce serait un monde bien plus

à l'échelle humaine. Un monde où les personnes compte-
raient plus que les choses. Pour vous, les hommes, c'est
avoir et organiser, qui comptent. Il faut que vous donniez
l'impression que vous êtes très occupés, et à des choses
importantes, pour que vous puissiez croire en vous-mêmes
et que vous puissiez croire que vous nous en mettez plein
les yeux. À nous, alors que c'est à vous-mêmes que vous
en mettez plein les yeux. Parce que vous en avez plein
les yeux, vous pensez que nous nous pâmons d'extase
devant vous alors que, au fond, nous vous plaignons.
Évidemment, notre grand tort, c'est de jouer votre jeu,
d'abonder dans votre sens en vous disant «Oui, chéri,
c'est important, ce que tu fais; oui, chéri, tu es fantas-
tique; oui, chéri, tu es irremplaçable», au lieu de vous
mettre à votre place et de vous faire voir qu'après tout,
vous êtes à peine cinquante pour cent de l'humanité. Pour
vous, ce qui compte, c'est prendre de la place, faire votre
place et, pour y arriver, vous empiétez sur la nôtre, sans
même vous apercevoir que votre prétendu besoin d'espace
nous repousse dans les coins. Pour vous, exister, ça veut
dire prendre quatre-vingt pour cent de la place disponible,
alors qu'on devrait partager également.

Pauvres cons! Comme vous vous méprenez. Vous
vous gourez à fond!

FRANÇOIS

Ah! oui, on se goure, hein? Ah! ah!

ISABELLE

Deviens pas sarcastique. Tu ne me fais plus peur.
Vous vous êtes mépris, simplement, sur la véritable efficacité et, bien plus, sur la vraie vie.

La véritable efficacité, la vraie vie, ce n'est pas de
brasser des affaires — affaires d'affaires ou affaires affai-

res — tiens, c'est intéressant comme on n'a qu'un seul mot, en français, pour vos deux sortes d'«affaires»: affaires d'argent, affaires de cul. Au fond, vos deux sortes d'affaires, c'est du pareil au même. Il vous faut les unes et les autres, il vous faut brasser les deux genres d'affaires pour avoir du prestige. Il faut que vous fassiez des affaires et que vous ayez des affaires. Oui, pour être bien, il vous faut les deux, le faire et l'avoir. Alors que, pour nous autres, les femmes, c'est, d'abord, *être*, qui compte: être d'abord, par le dedans, et ensuite seulement faire. Pour vous autres, c'est avant tout *faire* et *avoir*, par le dehors, et ensuite vous illusionner que vous *êtes* quelqu'un, au dedans. Vous autres et vos «affaires». Puis, en plus, vous dites à vos maîtresses: «Sois gentille, fais-moi des affaires!»

FRANÇOIS

Tu n'es qu'un perroquet féministe!

ISABELLE

Et toi, tu n'es qu'un inerte macho et tu ne comprends rien! À quoi ça sert de vouloir... Mais pourtant, il faut bien que quelqu'un te le dise, non? La véritable efficacité, la véritable vie, ce n'est pas de rendre des villes de plus en plus grandes et de plus en plus féroces, ni de mettre sur pied des systèmes de communication aplatissant de plus en plus de gens, comme vous le faites, toi et tes collègues dans les médias et les télécommunications. Beaux communicateurs que vous êtes! C'est à faire chialer! Il ne s'agit pas de pouvoir communiquer le plus loin et le plus vite possible: ce qu'il faut, c'est apprendre à communiquer beaucoup plus en profondeur. C'est ça, la véritable efficacité et la vraie vie. En fait, c'est peut-être l'impression que ta maîtresse te donne: celle de communiquer mieux, plus en profondeur, alors qu'elle ne fait que semblant de t'écouter te vanter. Mais tu devrais le savoir, François. Ce qui compte, c'est de pouvoir communiquer de plus en plus profondément, non?

FRANÇOIS

Mais il faut d'abord créer des canaux de communication, bordel de cul!

ISABELLE

Les grands réseaux de communication, ça reste forcément superficiel. Ce qu'il faut, c'est apprendre à se parler avec plus d'authenticité. Non pas parler creux, vite et à plus de gens possible. La vraie efficacité, la vraie vie, c'est de mieux se parler parce qu'on sait vivre mieux. La vraie efficacité, c'est d'être, de vivre, comprends-tu, de savoir vivre.

FRANÇOIS

Tu parles comme les moralistes d'autrefois ou encore, ce qui n'est pas tellement mieux, comme certains de mes collègues marxistes: la priorité de l'être sur l'avoir, et tout le bataclan. Au fond, c'est tout bonnement l'idéologie anticapitaliste qui te fait parler.

ISABELLE

Ça ne sert à rien... C'est triste... Pas moyen de te parler, justement. Va-t'en. Va t'affairer, va t'affairer et t'enferrer. Va-t'en bien te marrer, mari marri, avec ta Marie!

FRANÇOIS

K… k… comment, t… tu la connais?

ISABELLE

Quoi?… Ah, je vois! Elle s'appelle Marie!

Oh! prends pas c't air déconfit, pauvre vieux! J'ai simplement voulu faire un jeu de mots. Alors, dis-moi comment elle est, ta Marie, puisque la chatte est à l'air.

FRANÇOIS

Oh! je t'en prie, garde tes vulgarités pour toi!

ISABELLE

Ben quoi! on dit bien que le chat est sorti du sac, non? Alors, je peux bien dire, pour une femme, que la chatte est sortie… Ah!, je vois: tu as pensé à la chatte entre les cuisses… Vous êtes tous des cochons, vous autres, les hommes! Si un mot peut avoir un sens scabreux, c'est tout de suite celui qui vous poigne!

Ça t'inquiète, son retard à te téléphoner? Ça fait bien dix fois que tu regardes ta montre en autant de minutes. Profitons du répit qu'elle nous laisse, du peu de conversation que nous pouvons avoir, pour une fois, grâce à sa… à son retard à te faire tomber dans ses bras.

Parle-moi un peu de Marie. Tu pourrais bien avoir assez de considération pour moi, non, au moins en me disant comment elle est. Si tu ne peux pas me parler comme à une amie, parle-moi comme à tes collègues de bureau. J'y suis habituée. J'entends des hommes, tous les midis, au resto, pleins de vantardise sur leurs poulettes…

FRANÇOIS

… Marie-Jeanne n'est pas une poulette!

ISABELLE

Elle s'appelle Marie-Jeanne. Un nom composé. Alors! Elle a une double personnalité?

FRANÇOIS

Cesse ton persiflage et arrête de me narguer. Tu vois bien que tu ne pourrais me parler d'elle en amie, malgré tes bonnes intentions. Tu sais qu'il n'y a rien de plus corrosif que tes remarques narquoises.

ISABELLE

Conclusion? Je ne peux pas être tendre, ça t'écoeure. Je ne peux pas me plaindre, ça te fait chier. Je ne peux pas élever la voix ou «faire des scènes» comme tu dis, ça te met en boule. Je ne peux même pas être narquoise pour au moins sauver ma peau en faisant un peu d'humour, ça t'exaspère! Mais qu'est-ce qui me reste, moi, à la fin? Toi, le communicateur, peux-tu bien me le dire, hein? Qu'est-ce qui me reste? Connais-tu un langage assez expressif qui puisse te rejoindre, t'atteindre, te… Toute ton électronique se casse le nez sur une question aussi simple que de savoir m'écouter!

Bof! comme tu dis si souvent… La belle dérobade: BOF! Le sigle du communicateur qui parle à des machines parce qu'il ne peut parler à des humains! BOF! BOF! BOF!

Tu sais ce que ça veut dire: «bof!»?

FRANÇOIS

Bof! ce que tu peux être emmerdante, à la fin!

ISABELLE

«Bof!», B.O.F., ça veut dire «baiseur par occasions faciles». Pas mal trouvé, hein, pour une qui n'est pas communicatrice diplômée, elle, mais qui sait se servir de sa langue et de son esprit — qualité qui te fait déplorablement défaut!

Donc, c'est bien ça. Tu veux un divorce.

FRANÇOIS

Ben...

ISABELLE

Ne fais pas le sourd. Tu as entendu, je t'ai dit «Veux-tu un divorce?» et tu réponds «ben» pour te donner contenance et reprendre ton souffle.

Tu n'oses pas me dire oui parce que tu as peur. Peur de perdre tes petites affaires, de troubler ta petite vie organisée pour ton plus grand bien-être. Une femme, pardon, une *bonne* à la maison pour s'occuper de faire fonctionner la baraque, la bouffe et tout. Surtout, pour te donner une base, un point d'ancrage d'où faire tes fredaines. Une bonne ici, bien sûre, faite à ta main, sur qui tu peux compter: l'assurance, quoi! Et puis les autres, les écarts, les «écartades»: les relations un peu risquées mais pas trop, les petites aventures, une illusion de vie audacieuse, pourvu que tu gardes un foyer bien confortable où revenir si une affaire en venait à meurtrir ton ego.

Oui, c'est ça: prends une cigarette, cherche ton briquet, comme si des gestes aussi insignifiants pouvaient me distraire, espèce de con, de con-municateur de mes fesses! Élude, François, élude!

FRANÇOIS

Mais je…

ISABELLE

… Tu es bien comme tous les hommes. Vous ne…

FRANÇOIS

… Dis donc, tu sembles en connaître beaucoup, des hommes, à t'entendre…

ISABELLE

… Ne m'interromps pas. Oui, tu es comme tous les hommes, vous ne savez pas ce que voulez. Ou plutôt si, vous le savez: vous voulez tout avoir, une femme bien soumise à la maison, une femme bien fidèle, et toutes les libertés imaginables par ailleurs.

Mes copines me le disent bien: divorcée, je pourrais être libre moi aussi, comme elles. Elles sont bien, surtout celles qui n'ont pas d'enfants. Personne d'autre qu'elles-mêmes à qui penser. Finie la servitude des servantes! Il y en a qui disent qu'on a le choix entre la liberté et l'ennui, l'ennui à cause de la solitude. Mais non, elles se trompent. Quoi de moins ennuyant que soi-même quand on est bien dans sa peau? Et il y a toujours les copines. Elles vont boire un pot après le boulot si ça leur dit, rentrent manger ou pas, se font des petits plats bien à leur goût à elles sans avoir à tenir compte d'autres caprices. Elles partent en week-end si ça les tente ou bien se soûlent la gueule entre copines, au champagne s'il te plaît! le vendredi soir: elles rigolent bien et ça les rince. Ça les rend complices, aussi, et bien bonnes amies. Il y en a qui passent une bonne heure, porte barrée, téléphone décroché, à se masturber tranquillement dans leur baignoire, d'autres qui baisent entre elles ou qui ont des occasionnels... En somme, la belle vie! Au fond, ce sont des femmes qui ont appris à vivre sans s'encombrer. À vivre comme des hommes, non?

Tiens, au lieu de nous séparer, on pourrait vivre comme ça, nous aussi, hein?

FRANÇOIS

Vivre comment?

ISABELLE

Ben, comme je viens de le dire. Tu ne m'écoutais pas, hein, tu te demandais ce qu'elle peut bien faire, à la fin, ta MJ, et tu te disais qu'elle commence à aller un peu loin, qu'elle a peut-être un autre mec, hein, un mec qui lui fait manquer, ou plutôt, qui va *te* faire manquer, à toi, ta petite partie de belote intime (remarque bien: j'ai dit «belote», pas «pelote»). Bon, ben résigne-toi à m'écouter si tu espères toujours son appel.

Par contre, tu pourrais décider de la faire sécher: sors, va faire une marche, n'importe quoi, et quand elle t'appellera — si elle t'appelle! — je lui dirai que tu es sorti et ce sera à son tour de se morfondre. À ton âge, tu sais bien qu'il n'y a rien comme rendre une femme jalouse pour qu'elle redouble d'ardeurs nouvelles quand tu lui reviens. Mais non, tu ne sortiras pas: au fond, tu es bien trop timoré, trop insécure pour risquer, en te montrant indépendant, de perdre une maîtresse presque aussi assurée que ta femme...

Oui, comme je te le disais, vivons tous les deux comme des hommes, comme toi, tiens, mais avec plus d'audace, et, surtout, avec plus de franchise.

Le soir, je rentre ou ne rentre pas et je n'ai même pas à me soucier de te téléphoner pour te prévenir. Le vendredi, je vais prendre une cuite ou bien j'invite des gens, ici. Si tu es là et que tu veuilles te joindre à nous, très bien, pas d'objection, pourvu que tu ne nous emmerdes pas avec tes récriminations ou avec tes discours dogmatiques. Ou bien tu sors, tu vas où tu veux. Puis, je pars en week-end. Tu sais, je n'aurais pas de mal à trouver des compagnons, des mecs. Ils sont certainement aussi dégueulasses que toi au fond, mais, pour quelques jours, ils savent se faire beaux, prévenants, gentils.

Oui, c'est peut-être la solution: aucune relation permanente, aucune attache, aucun boulet au pied. N'avoir jamais à se restreindre à cause de l'autre, de ses sentiments, de ses besoins. Un égoïsme au masculin. Juste des aventures, pas même de liaisons... Des aventures ou des affaires quand l'aventure vaut la peine d'être prolongée un peu... Pourquoi pas? Non? De toute façon, c'est à peu près ce que tu fais déjà.

Qu'est-ce que tu dirais si je prenais un amant?

FRANÇOIS

Moi, je... Non, ce n'est pas ce que je fais. Mais au fond, oui, pourquoi pas?

ISABELLE

François! Comme tu es méchant! Tu ne t'intéresses plus à moi.

FRANÇOIS

Ah bon! Parce que tout le beau discours que tu viens de faire, c'était de la frime! C'était pour me faire marcher! C'était pour me faire dire: «Non, chérie, il n'y a que toi,

au fond» et tout le tralala. Tu vois, comme tu es manipulatrice, hein?

ISABELLE

Non, ce n'est pas vrai! Je ne cherche pas à te manipuler. Ne comprends-tu pas que je cherche une solution,
honnêtement, une façon de sortir du bourbier où nous
nous sommes enlisés?

FRANÇOIS

Tu te rends compte, j'espère, combien tu parles en
clichés? Clichés des mouvements de libération des
femmes, clichés de rafistolage d'unions délabrées...

ISABELLE

... Bien oui, justement, parlons-en, d'unions délabrées: c'est de là que je voudrais qu'on sorte!
Et tout ça, ça n'est pas juste! Pas juste pour nous,
les femmes. Vous autres, les hommes, en vieillissant,
vous pouvez devenir de plus en plus charmants, de plus
en plus affables, de plus en plus séduisants. Pas tous,
mais un bon nombre: ceux qui vieillissent bien. Ils deviennent meilleurs, plus subtils, plus gentils avec l'âge. Et je
suppose qu'ils font des amants bien plus compétents.

FRANÇOIS

C'est possible. Même un vin de mauvaise année, il
se peut qu'il se bonifie en vieillissant.

ISABELLE

Oui. Il y en a des hommes qui se bonifient en vieillissant. Peut-être parce qu'ils se rendent compte qu'ils

46

ont perdu de la fougue, qu'ils ont perdu des forces vives. Ils ont moins de souffle et deviennent moins arrogants. Ils doivent se rabattre sur la douceur.

Mais ce n'est pas seulement une question d'âge, je crois. Il y a des hommes qui se bonifient une fois qu'ils sont arrivés. Arrivés dans la vie. Parce qu'ils ont compris quelle pouvait être leur place. Parce qu'ils n'ont pas cherché à empiéter sur l'espace vital des autres. Un peu comme des trains arrivés en gare. Parqués. Ils n'ont plus d'ambition. Ils ne sont donc plus agressifs.

Pour nous, les femmes, ce n'est pas pareil. À mesure qu'on vieillit, on en perd. Ce n'est pas juste. Les pattes d'oie au coin des yeux, les rides, les tempes grisonnantes, ça ajoute du mystère, de la profondeur à un homme s'il n'est pas un de ces prétentieux idiots. Mais une femme, ces mêmes marques du temps la rendent moins désirable.

FRANÇOIS

Ah! oui, tu trouves?

ISABELLE

Ben, je viens de te le dire!

FRANÇOIS

Bon, ça va, ça va. Mais comme il y aura toujours des hommes plus vieux que toi, alors, c'est pareil, non? Quand tu auras cinquante ans, tu en trouveras toujours qui en auront soixante, et qui auront donc un charme des plus captivants!

Écoute bien. Ce que tu disais sur les hommes qui se bonifient avec l'âge, c'est un avantage pour les femmes. Pourquoi? Parce que vous avez le choix entre hommes plus jeunes, à initier, à former à votre façon — on voit de plus en plus de femmes dans la quarantaine ou presque, avec de jeunes mecs dans la vingtaine. En contrepartie, il y a les beaux vieux: vous pouvez alterner, un jeunot, un vieillot...

Bof! C'est un beau merdier, la vie! On passe son temps à se cogner contre des murs...

La sonnerie du téléphone retentit dans une pièce voisine; François se précipite pour y répondre. Il revient tout déconfit.

FRANÇOIS

C'est pour toi.

Isabelle sort, laissant la porte entrouverte; on entend sa part de la conversation.

ISABELLE

— Allô!...

— Ah! bonsoir, Lise. Ça va?

Isabelle reste silencieuse pendant un bon moment.

— Pauvre Lise! Ah! oui, les hommes, hein! Moi aussi, j'ai...

S'écoule une nouvelle période d'écoute.

— Écoute, Lise, est-ce que je pourrais te rappeler un peu plus tard. François attend un coup de fil important.

— Oui, c'est ça. Dans pas trop de temps. Bye!

Isabelle rentre dans la salle à manger.

ISABELLE

Pauvre Lise! Mais ça ne me servirait à rien de te raconter ses problèmes avec Louis.

FRANÇOIS

Sans doute que non. De toute façon, ce n'est qu'un autre cliché. La vie est emprisonnée dans des clichés. Les murs dont je parlais tout à l'heure, contre lesquels on se cogne, ce sont les clichés. Des murs encore plus durs que du béton même s'ils sont invisibles. Ce qu'il faut, c'est trouver des échappées, percer des ouvertures dans ces murs agressants.

ISABELLE

Tu dis ça parce que ta Marie te fait poireauter. Si tu étais avec elle, tu trouverais la vie merveilleuse, unique, splendide. Tu lui dirais comme elle te transforme, te rend radieux. Tu lui chanterais toutes les pommes du verger — si jose dire! Mais là, comme tu es dépité, tu vois tout en noir… C'est peut-être vrai que la vie n'est qu'un immense cliché et qu'on ne fait que le réchauffer chacun dans sa petite cuisine intime.

FRANÇOIS

Bien sûr que c'est vrai! Apprendre à penser, pour un enfant, c'est apprendre à bouffer des clichés. Et cela se répète de génération en génération. Avoir des enfants, c'est perpétuer la clichéisation — comme s'il n'y avait pas assez de cons sur la terre! Les clichés, c'est de la mescaline, la mescaline culturelle. Celle qui produit notre cinéma intérieur: nos films d'horreur, nos films romantiques, nos films porno...

Les clichés, c'est des scénarios tout faits, des bouts de scénarios de films dont on ne connaîtra même pas l'intrigue dans son ensemble. C'est comme ces télégrammes prérédigés qu'on expédie par numéros.

Le numéro 32: «Félicitationspourvotrerécentsuccès»;

le numéro 84: «Sincèrescondoléancesàlasuitedudeuilquivousacruellementfrappé»;

les numéros passe-partout en conversation: «bonjour!»... «çava?»... «ilm'écoeure»... «tuasvuc'tebagnole?»... «quefais-tucesoir?»-«J'faiscomm'd'habitudelelundij'mecouched'bonneheure».

Des bouts de scénarios tout faits qu'on passe sa vie à jouer. Ça se répète à des milliards d'exemplaires que sont les vies humaines. Vies humaines, milliards de personnes marquées à l'effigie banale des lieux communs. Et, comme je disais, ça se répète: avoir des enfants, c'est se cloner mentalement. Il faut échapper à cette redondance de conneries qui nous tient jusqu'au fond des tripes.

ISABELLE

Et qui frappe nos pensées et nos sentiments à ces effigies?

FRANÇOIS

... À ces effigies que doivent porter nos paroles pour avoir cours, pour être reconnues comme authentiques et non pas pour de la fausse-monnaie.

«Moi, je suis frappé à l'effigie de Boy George.» — «Moi, je porte celle de Romy Schneider.» — «Moi, c'est celle de Belmondo.» Et je m'habille et je me rêve en conséquence.

Rien de plus banal. Pourtant, on vit les scénarios que nous imposent ces effigies comme s'ils étaient absolument poignants parce qu'ils seraient absolument uniques.

Scénarios renforcés par le cinéma, les chansons populaires, la télé... Et nous, pauvres cons abusés, on est assez stupides pour payer pour se faire enconner...

ISABELLE

Payer?

FRANÇOIS

Ben voyons! Qui les achète, les disques farcis de clichés? et les revues pleines de potins sentimentaux sur les vedettes? Qui paye cher pour aller se faire entourlouper par des chanteurs populaires? Qui paye aussi pas mal cher pour aller au cinéma ou au théâtre, pour boire un bouillon cucul de turpitude sentimentale?

On se fait baiser et on paye pour se faire baiser. Et le pire, c'est qu'on est content de le faire et de se faire faire. Content de payer pour aller se faire crétiniser par ses idoles. On va même faire la queue sous la pluie ou dans le froid tellement on tient au privilège de payer pour se faire avoir.

Au fond, le véritable opium du peuple, c'est la clichéisation. Pas seulement la religion, le sport ou l'art. C'est la religion, le sport ou l'art en tant qu'ils frappent des effigies et qu'ils sont les détaillants de clichés tirés à des millions d'exemplaires.

Le système des stars, au cinéma, à la télé, dans les sports, ou bien les évêques radicaux, ou les gourous: qu'est-ce que c'est, tout ça?

ISABELLE

C'est les fabricants de clichés...

FRANÇOIS

Ben non! Ce sont eux-mêmes des clichés. Des clichés personnifiés, des clichés exemplaires, si tu veux. Des pontifes de poncifs: des haut-parleurs avec de bons amplis. Les studios d'enregistrement et même les micros sont truqués: ils poncifient les pontifes. D'ailleurs, pour vouloir pontifier, il faut avoir une âme déjà poncifiée. C'est pourquoi tous les discours et toutes les musiques que ces perroquets émettent sonnent juste, sonnent juste ce qu'il nous faut comme harmoniques morales et mentales. Les vedettes, ce sont des clichés comme toi et moi, mais astiqués, polis, montés en épingle. C'est toi et moi sublimés, arrivés au sommet de la connerie.

ISABELLE

Et d'où ça vient, cette tyrannie, tu peux me le dire?

FRANÇOIS

D'où ça vient? De notre culture. En passant, Marie-Jeanne est anthropologue, et elle m'a rendu conscient de bien des choses…

ISABELLE

… Anthropologue? Elle creuse des trous dans la terre pour creuser le passé?

FRANÇOIS

Ce sont les archéologues qui font des fouilles. Non: *anthropologue*, c'est-à-dire une spécialiste des cultures humaines, des façons différentes d'être humain. Il paraît qu'on en a repéré plus de six cent cinquante. Et notre culture se révèle bien étriquée, bien rachitique quand on la situe dans le contexte des autres cultures. Mais c'est partout pareil, toutes les cultures sont des mécanismes de clichéisation. La seule différence, c'est qu'il y a des clichéisations moins bêtes que d'autres. La nôtre met l'accent sur les vedettes et les héros; ailleurs, on met l'accent sur la vie simple et douce.

Moi, en tout cas, notre culture me fait chier!

ISABELLE

Tu m'en diras tant! Toi qui es le premier à te prendre pour un être à part, un sublime, un héros! Toi, à qui tous et surtout toutes sont dus! Si quelqu'un a le culte du moi, c'est bien *toi*, mon trésor! Tu es la star, la grande étoile de notre foyer, n'est-ce pas? le cliché qui sert d'étalon à tous les autres.

FRANÇOIS

Ça va, ça va, allège un peu. Je parlais de vraies vedettes, de vraies stars, du culte du héros. Le héros, comme je l'ai dit, c'est un cliché particulièrement réussi et qui, par conséquent, se vend bien; un best-seller. Mais même ce que je dis là est un cliché. Et c'est pour cette raison que parler, comme toi et moi ce soir, c'est aligner des clichés, les enfiler bout à bout au fil de la conversation.

ISABELLE

Alors que quand tu parles avec ta Marie-Jeanne, ce n'est pas des clichés, non, mais des propos profondément uniques et originaux, créateurs…

FRANÇOIS

… Ça commence avec l'acné, même bien avant, sans doute… quand on se modèle sur papa ou sur maman, ou sur leur contrepartie, ce qui revient au même… Puis les problèmes des adolescents qui sont en révolte contre tout et qui veulent se trouver, se faire une personnalité, quoi, c'est-à-dire savoir à quelle effigie ils sont frappés, de quel cliché ils porteront fièrement l'effigie, cliché qui deviendra leur véritable ego… Et on va se faire coiffer, on s'habille, on marche, on pose comme son idole… Tu te rappelles, cette vieille chanson de Bécaud: «Accroche-toi à ton étoile»?

ISABELLE

Oui, bien sûr.

FRANÇOIS

Tu vois: un renforcement de clichés par la chanson. «Accroche-toi à ton étoile», ça signifie «Personnalise-toi en choisissant un cliché dans le répertoire culturel et en t'y conformant le plus possible». Et puis c'est pareil avec Aragon — Ferré: «Il n'y a pas d'amour heureux et c'est notre amour à nous deux.» Et avec Vignault, la chanson qui a connu tant de succès: «Qu'il est difficile d'aimer qu'il est difficile»… Tout cela, ce n'est que des clichés, et on les apprend avec ferveur.

Et puis on continue de grandir. On veut faire sa marque, on essaye, ici et là, jusqà ce qu'on trouve un boulot qui nous donne l'impression d'avoir une place, d'être à *sa* place. C'est significatif, que, en français, «place» vaut à la fois pour «job» et «espace vital». Quelqu'un qui a une «bonne place», qui est «bien placé», a «trouvé sa place».

En même temps, on fait le tour des filles — ou des gars si on est une fille; oui, on se fait le tour, on se joue le tour les uns aux autres. On cherche à tâtons.

ISABELLE

À tâtons, pour ça, oui! Mais n'oublie pas que les filles n'ont pas le choix. Elles n'acceptent bien souvent que pour faire plaisir aux garçons.

FRANÇOIS

On cherche, on s'aventure prudemment, puis on sort avec la même plus longtemps. Un jour, on se rend compte que ça ne va plus, ça casse. Et on est bien désespéré, plus rien n'a de sens, on déprime; puis on recommence. Tiens, il y a justement une chanson de la Piaf là-dessus, si je me rappelle bien, quelque chose comme quoi, après une expérience amoureuse dévastatrice et négative, elle se jure de ne jamais revivre ces affres. Un couplet tragique. Dès le suivant, elle ré-embraye sans sourciller dans un nouvel amour passion. Tu vois, il y a des chansons pour baliser en clichés tous nos itinéraires de vie.

À la fin, la plupart des gens finissent par le mariage. Ça aussi, c'est un cliché, un cliché de consolation. Il faut être bien fort pour ne pas accepter d'en porter l'effigie. Et peut-être essaye-t-on de changer de boulot, pour mieux se «réaliser», pour avoir une meilleure «place», si possible. Des fois, on se casse la gueule. Plusieurs changent de femme comme ils changent d'auto ou de boulot... jamais satisfaits. On vit ce que tout le monde vit. Il n'y a pas à en sorti:... L'immense cliché de la vie. Mais on essaye d'oublier qu'on ne fait que le reproduire.

Merde! qui c'est le sadique qui a inventé ce maudit pétrin où on se fait tous pétrir dans la même merde, hein?

Ce qui compte, c'est de savoir qu'on est dans le pétrin. Ce qui compte, c'est d'être lucide. C'est la première façon de dire «MERDE!» au Grand Emmerdeur. Après, on peut commencer à espérer sauter le mur des clichés.

ISABELLE

François, sais-tu, ce soir, c'est comme si c'était la première fois depuis bien longtemps qu'on se parle pour vrai!

Je pense que toi et moi, on est en train de se retrouver... de retrouver une communication plus... plus... réelle, plus... profonde. Meilleure même que celle des premiers temps de notre mariage... Ce doit être parce qu'avec le temps et avec l'expérience, on est devenus plus mûrs. On ne s'est pas seulement aplatis par le frottement, comme tu le disais: on s'est aussi approfondis l'un grâce à l'autre, je pense.

Tu permets que je mette un disque? Bien sûr, ça va être un cliché, et un vieux, quant à ça. Un cliché qui balise la vie, comme tu disais, mais pourquoi pas? Au fond, est-ce qu'il y aurait d'autres solutions que de les accepter, les clichés, et de les vivre du mieux qu'on peut, tout en sachant, évidemment, que ce sont des clichés — si je te comprends bien?

FRANÇOIS

Non. Il faut les défoncer; aller voir ailleurs, sortir de son petit patelin étroit et mesquin: mesquin parce qu'il est étroit.

ISABELLE

Viens, chéri, passons au salon, je vais... ou bien, écoute, va lui téléphoner toi-même, à ta Marie-Jeanne, si ça t'agace tellement d'attendre qu'elle ait la condescendance de cesser de te faire languir! Et tu n'as pas besoin de prétexter que tu dois aller aux toilettes pour téléphoner à mon insu.

FRANÇOIS

O.K., O.K., je vais téléphoner.

Exit François; Isabelle sort elle aussi par la porte qui donne sur le salon. Quand elle entend François raccrocher, elle fait démarrer La Chanson des vieux amants, *de Jacques Brel, chantée par Juliette Greco — ou par un/e autre interprète. Isabelle et François rentrent tous deux en même temps. François, renfrogné, retourne au siège qu'il occupait dans la salle à manger, dont Isabelle a laissé la porte ouverte.*

ISABELLE

Pas de réponse, pauvre chou.

Le couple reste silencieux pendant toute l'exécution de la chanson.

ISABELLE

Je ne suis pas très adroite, hein? Le problème, évidemment, c'est que, en écoutant cette chanson, toi et moi, nous ne pensons pas au même couple. Moi, c'est à toi et moi, que je pense, mais toi, c'est à toi et à «elle». Pour moi, le «nous», c'est notre «nous-deux», ici; pour toi, ton «nous-deux», il est ailleurs, là-bas, avec elle... ton «nous-deux» si doux, ton «nous-deux» magique...

Bon, erreur de stratégie, diras-tu.

Tout de même, j'en suis sûre. Tu as entendu des vers — des vers qui ont dû te frapper dans la circonstance,

«Mais n'est-il pas de pire piège
que vivre en paix pour des amants?»
MJ et toi, vous en avez de la veine! La petite crise de ce
soir vous évite justement de tomber dans le piège de la
paix.
Isabelle fredonne.
«Mais n'est-il pas de pire piège
que vivre en paix pour des amants?»

FRANÇOIS

Ces vers, ça reste une énorme connerie. Tu vois
comme il le creuse bien, son lit, le roman-fleuve de
dégueulage d'eau de rose! Bravo, Brel, bravo, Greco!
Eux autres, ils savent nous en faire boire, du bouillon
aromatisé! Et ça se vend bien, en plus. Une camelote
susurrée sur des mélodies tendres, qui est comme ces
stupides musiques d'ambiance qu'on nous impose dans
beaucoup trop de magasins: des laxatifs du cerveau, sauf
que c'est encore pire parce que ça se veut des chansons
à messages, de la musique à envoûtement existentiel et
que c'est des disques qu'on achète, en plus; un plat de
clichés qu'on paye sans lésiner comme si c'était des truffes
de spiritualité. *Pushers*, c'est tout ce qu'ils sont, ces
chansonniers, de minables *pushers*!

*Isabelle va au bahut à alcools, prend un flacon d'ar-
magnac, en verse une bonne rasade dans un ballon qu'elle
porte à François.*

ISABELLE

Tiens, ça va te réconforter. C'est du bas armagnac,
celui qu'on garde pour les grandes occasions.

François accepte distraitement le verre, le hume machinalement, boit une grande lampée sans même faire tourbillonner l'alcool dans le ballon ni le réchauffer entre ses paumes.

ISABELLE

Vois-tu, moi, ce soir, comme je te disais tantôt, j'aurais aimé qu'on aille prendre le café au salon, sur le sofa. Puis je nous aurais servi un bon alcool, comme maintenant, mais sur le sofa. Je me serais serrée contre toi, espérant que tu me cajolerais un peu... que tu aurais un peu envie de moi. Ces derniers temps, depuis à peu près deux ans, c'est toujours moi qui ai pris l'initiative de faire l'amour. On dirait que je ne t'intéresse plus, François, que je ne t'attire plus, ne t'excite plus. Ça fait belle lurette que tu te déshabilles devant moi sans bander. J'ai même l'impression que tu évites de te montrer nu devant moi alors que, autrefois, tu te promenais, tu te pavanais tout le temps à poil dans l'appartement. Oui, tu en as marre de moi... Ça me rend triste, tu sais.

FRANÇOIS

Ben oui, c'est ça: avant, je te voulais trop. Rappelle-toi, tu te dérobais au lieu de te déshabiller. Et maintenant, tu trouves que je ne te désire plus. Te rends-tu compte de ce que tu as fait? C'est sacrément grave. Tu n'as que toi à blâmer si tu ne m'excites plus. À force d'être distante, ennuyée, à force de n'être intéressée que du bout des lèvres, pour ainsi dire, tu as fini par me tanner. Par me tanner, comprends-tu?

Imagine-toi: c'est un peu comme la cuisine; tu fais de bons petits plats, tu es attentive, prévenante, tu fais de ton mieux pour offrir de bonnes choses, et ton convive ne fait que manger du bout des lèvres, sans intérêt, sans appétit. Il laisse les trois quarts dans son assiette et tu fous tout ça à la poubelle, jour après jour, jour après jour, jour après jour.

Alors tu les fermes, hein, tes Bocuse, tes Curnonsky, tes Lenôtre. Tu perds le goût de cuisiner avec art, tu sers n'importe quoi; et toi, tu vas bouffer avec des amis ou au restaurant pour bien manger. Pour le sexe, c'est pareil. On se tanne de voir que l'autre ne semble pas aimer. Et ça fait mal, ça, ça *aussi*, comprends-tu? Bien sûr, il n'est pas question de te forcer à aimer faire l'amour quand ça ne te tente pas. Pas question de te forcer à manger si tu n'as pas faim. Il y en a qui ont des appétits d'oiseaux, comme on dit.

Alors, t'étonne pas si, doucement, imperceptiblement, tu transformes ton mec en eunuque. J'en connais pas beaucoup, des hommes qui aiment se faire transformer en eunuques. Évidemment, pas baiser, ça prend moins de temps que baiser et c'est moins compliqué aussi. Mais moi, je n'en suis pas encore là. J'ai des énergies, j'ai besoin d'«expression corporelle», si tu veux. Alors, quoi d'étonnant à ce que je… je… cherche ailleurs… quelqu'une qui soit plus intéressée que toi…

Et ce qu'il y a de plus triste — puisqu'on parle de tristesse, — c'est d'être fait eunuque par celle qui, au contraire, devrait te stimuler le plus… Mais peut-être les femmes sont-elles toutes pareilles: après avoir fait semblant d'être intéressées elles se replient et se laissent aller une fois leur mec bien accroché. Tu parlais de laisser-aller, tout à l'heure, eh bien! c'est ça, le vrai laisser-aller, le pire laisser-aller: ne plus être assez intéressée à ton mec pour vouloir lui prendre les couilles. Et quand tu t'en rends compte et que tu veuilles te rattraper, il est trop tard. Tu as préféré avoir un eunuque à tes côtés plutôt qu'un vrai mâle, soit. Tes efforts de réanimation sont désormais perdus sur lui, que tu as fini par noyer dans ton indifférence. C'est clair, hein?

Ah! et puis merde! si toutes les femmes sont pareilles, il n'y a pas à se surprendre que les hommes s'en tannent vite! Deux ans. Oui, il faudrait sérieusement penser à la formule du mariage de deux ans. Tiens, ça me fait penser à un proverbe — anglais, je crois — qui dit quelque chose comme «Les femmes, c'est comme les almanachs: ça ne vaut que pour un an». Tu vois, la sagesse populaire est encore plus cynique que moi.

ISABELLE

Bon, c'est ça. Tu trouves toujours le moyen de rejeter la faute sur quelqu'un, sur moi, surtout. Parce que toi, bien sûr, tu ne saurais être fautif ou être pris en faute. Des erreurs, sans doute, tu dois reconnaître en avoir fait, au moins quelquefois, mais ce que tu ne voudras jamais accepter, c'est d'être pris en faute! Puis, à part ça, ton raisonnement, il a le nez cassé. Quand une femme est trop amoureuse, vous la trouvez tannante. Et c'est vous autres, les hommes, qui finissez par vous replier. Ça aussi, nos avances trop assidues, ça vous tanne!

FRANÇOIS

Réponse classique, cliché numéro 3 dans le scénario des engueulades chez les couples qui cherchent la cause de leur déconnage! De toute façon, mieux vaut être tanné par excès que par manque!

Vous autres, les femmes!

ISABELLE

Comment ça, nous autres, les femmes?

FRANÇOIS

Bof, je me comprends!

ISABELLE

François, pas de défilade! Je viens de te dire que je pensais qu'enfin on retrouvait moyen de se parler. Ce n'est pas le moment de décrocher. Bon. Tu t'es expliqué un peu, tu m'as fait des reproches. Au moins, tu as fini par me parler.

FRANÇOIS

Bon, bon... je veux dire que... Écoute, c'est difficile pour un homme de s'exprimer, tu sais...

ISABELLE

Oui, ça vous prend de l'alcool, ou bien une nouvelle oreille féminine: tu parles bien avec ta MJ, j'en suis sûre. Ou bien ne fais-tu que lui raconter des sornettes et des histoires que tu embellis pour te donner de beaux rôles? Je gage que tu lui en mets plein les yeux, non?

FRANÇOIS

Un de tes clichés préférés, ce soir, «en mettre plein les yeux».

ISABELLE

Cliché ou non, ça reste vrai. Vous avez tellement besoin de vous vanter, de faire les importants, de nous faire croire à nous les femmes que vous êtes importants, et à vous le faire croire à vous-mêmes en contrecoup. Si vous pensez qu'on vous croit, ça augmente votre crédibilité à vos propres yeux: tu vois ce que je veux dire? Tu te fais voir sous un jour flatteur à une femme; elle te trouve épatant — dit-elle — , te regarde pleine d'admiration et te cajole. Conclusion? Tu crois que tu as bien raison de te croire aussi bon que tu te crois, et tu es bien content.

Vous, les hommes, vous nous avez forcées à être votre auditoire captif et admiratif et nous faisons mieux de vous renvoyer des reflets flatteurs de vous-mêmes pour que vous puissiez vous rengorger; autrement, vous nous planquez là. Il faut qu'on vous astique, qu'on vous fasse reluire, comme on dit en argot. Vous faire reluire. Vous rendre brillants. Brillants à vos propres yeux. Et c'est vrai que, alors, vos yeux deviennent brillants. Quand on vous a fait reluire, vous vous regardez dans le miroir, satisfaits, repus, contents de vous. Vous vous dites: «Ouais, pas si mal, après tout! Peut-être un peu ventru, mais de l'allure, de la personnalité!» Voilà à quoi tu penses en te passant négligemment la main dans les cheveux. En jarsant...

FRANÇOIS

... En jarsant?

ISABELLE

Oui, en faisant le jars: bête comme le mâle d'une oie...

Vous les hommes n'avez besoin de nous que pour vous valoriser à bon marché, pour être flattés — et ça, en passant, je ne pense pas qu'il y ait beaucoup de chansons qui le disent — vous n'avez besoin de nous que pour être flattés, flattés moralement et flattés érotiquement, ce qui revient peut-être au même. Là, vous pouvez

vous rengorger, vous enfler; vous bandez psychologi-
quement comme physiquement. Vous autres, ce que vous
cherchez, c'est l'érection: vous dresser, faire les jars! Et
malheur à la femme qui ne vous fait plus bander: elle ne
peut être qu'une chipie.

FRANÇOIS

Ben vous autres aussi, vous bandez. Et, de toute
façon, bander, c'est une plus-value existentielle, comme
diraient les marxistes.

ISABELLE

Quand une femme comme moi, comme *ta* femme,
ne t'émoustille plus physiquement ou moralement, parce
que le miroir qu'elle tient devant ta beauté, est devenu
plus critique, alors tu vas chercher un autre miroir, un
miroir tout neuf une autre femme. Parce qu'elle ne te
connaît pas, la nouvelle va te renvoyer une image rafraî-
chie qui te fera croire en une image nouvelle de toi. Qui
va te redonner de l'éclat, du luisant. Comme je le disais,
tu vas penser que ta nouvelle amante te renouvelle, te
rajeunit, et tu as l'impression de retrouver ta verdeur et
ta vigueur d'autrefois.
C'est ça. Nous, les femmes, on n'est là que pour
vous faire reluire, vous, les hommes!

FRANÇOIS

Tu ne comprends rien.

ISABELLE

Ah! non? Pourtant, est-ce que ce n'est pas ce que
tu voulais dire tout à l'heure quand tu parlais de l'«usure

du quotidien»? Ça te prend un super quotidien, non?
L'herbe de l'autre côté de la clôture, comme dit le cliché.
Il faut aussi que tu vérifies si tu as toujours un capital
séduction. Et que tu tâches d'en faire de bons placements.
Ton capital si précieux, ton élixir vital, c'est trop pour
un petit compte domestique à intérêt quotidien, hein, mon
vieux.

FRANÇOIS

Ben, si l'intérêt n'y est plus!

ISABELLE

De toute façon, c'est jouer à la bourse qu'il te faut…
si tu me passes le jeu de mots.

Bon, je veux bien: disons que je t'ai fait défaut, que
je n'ai pas répondu à tes ardeurs d'une façon assez soute-
nue, que je ne t'ai pas assez flatté ni la tête ni la queue…

FRANÇOIS

… Alouette!

ISABELLE

Oh! toi, ce que tu peux être bête!

FRANÇOIS

En effet, tu m'as négligé. Ce qui t'a amenée à te
négliger, toi. Donc, maintenant, tu te trouves là où tu
t'es amenée par la main: tu te trouves négligée parce que
tu t'es négligée en me négligeant. Tu piges?

ISABELLE

Oui, bien sûr: c'est toujours moi la coupable.

FRANÇOIS

Je reviens à ce que je disais il y a quelques minutes:
il y a des femmes qu'on se découille à essayer de stimuler
pour en obtenir les «faveurs», comme on disait autrefois... Quêter les «faveurs» de Madame...

ISABELLE

Écoute-toi donc parler! Non mais! «devoir stimuler»!
Ce n'est pas «stimuler», qu'il faut dire, c'est «séduire».
Séduire... il y a belle lurette que tu n'essayes même plus
de me séduire...

FRANÇOIS

Oui... t'offrir des fleurs, t'amener au resto... des
petits cadeaux impromptus... des sorties, un voyage de
temps en temps.

ISABELLE

Écoute-toi parler encore: des cadeaux, acheter mes
«bonnes grâces», mes «faveurs», comme si j'étais une
putain...

FRANÇOIS

... Ou bien des cadeaux pour «récompenser». Tu as
déjà entendu parler du «*morning-after gift*» des Anglais?

ISABELLE

Qu'est-ce-que c'est encore? Je soupçonne que ça fleure la putasserie...

FRANÇOIS

Ben, quand une bourgeoise a été gentille au lit, le matin suivant elle trouve, au breakfast, un petit cadeau devant son assiette. Un vrai gentleman a toujours une provision de petites babioles — qu'il fait acheter par la gouvernante, d'ailleurs — pour ne jamais être pris de court. Et on peut mesurer les ardeurs de la bourgeoise par le nombre de brimborions qui ornent son boudoir. Passé un certain nombre, toutefois, elle les cache dans des tiroirs pour éviter les commentaires de ses amies qui pourraient chuchoter qu'une telle, est *très* portée sur la ... «chose»!

Et ça me fait penser qu'il y a sans doute des Anglaises, dont les maris ne sont pas très ardents, et qui s'en achètent elles-mêmes, des colifichets, pour passer pour une amante séduisante aux yeux de leurs copines.

ISABELLE

Après tout, les Anglais, ils ont le sens des affaires, non? Mieux vaut payer *après* que risquer un «*evening-before gift*» qui pourrait n'être qu'un placement improductif. Mais ils sont aussi cons que tous les autres hommes! Comme si c'était de petits cadeaux qu'il nous fallait! Ce n'est pas ça, la séduction!

FRANÇOIS

Peut-être pas, mais ça en fait partie.

ISABELLE

La séduction, c'est une attitude. Une façon de nous regarder, de vous intéresser à nous… une ouverture, une chaleur des yeux… un ton de voix… des paroles tendres… surtout, une qualité de présence…

FRANÇOIS

… Vous chanter la vieille rengaine, quoi! [*Il fredonne:*] «Parlez-moi d'amour, redites-moi des choses tendres» et toute la sornette crétinisante. Vous faire reluire par l'intérieur d'abord, vous approcher par l'ego.

ISABELLE

Bon, encore une réaction de… Mais tu as peut-être raison. Nous autres, les femmes, il faut peut-être commencer par le coeur, comme on dit, pour ensuite en arriver au sexe tandis que vous autres, les hommes, c'est l'inverse. Bien que commencer par le sexe avec vous ne veut pas dire qu'on arrivera nécessairement au coeur. Trop souvent, ça s'arrête là, une fois que vous avez les couilles vidées. Les couilles vidées, trop souvent il ne vous reste plus rien dans le coeur.

FRANÇOIS

Quelle… stratégie suggérerais-tu?

ISABELLE

Stratégie! Terme bien choisi, monsieur le conqué-rant. Il suffirait que tu me dises que tu es bien avec moi, que tu es content de revenir à la maison, le soir, que tu apprécies le repas que j'ai mis tout mon coeur à préparer pour nous… que tu aimes ma compagnie… de petits mots simples et qui seraient bien plus efficaces que des fleurs et des sorties. Encore une fois, on n'est pas à acheter, on est à… aimer

FRANÇOIS

Ben, chanter la pomme, ça aussi c'est du travail…

ISABELLE

Tout compte fait, cher comptable, c'est moins coûteux de faire un crochet par chez le fleuriste que de vous fatiguer les méninges pour nous parler, nous écouter, nous accorder de l'attention… Surtout que vous croyez que ça vous rend ridicules, que ça vous humilie, de nous dire que vous nous appréciez. Comme si ça vous enlevait de la valeur à vos propres yeux… comme si vous vous ternissiez alors que tout ce que vous voulez, c'est reluire. Pauvres hommes, va!
Pourquoi n'allez-vous pas plutôt chez les putes, hein? Là, vous payez et vous êtes sûrs d'en avoir pour votre fric, non?

FRANÇOIS

Oh non, oh non! Parfois, oui. Mais si elles ne font ça que machinalement…

ISABELLE

Parce que pour bien vous faire reluire, il ne faut pas que vous flatter la queue, il faut aussi vous admirer. Ce n'est pas du travail, ça, non?

FRANÇOIS

Bon ben, convenons-en, il n'y a pas de joie sans
peine. Encore un autre cliché refourbi dans une chanson
— une chanson de Ferré — *il fredonne*: «puisque le
bonheur, ça vient toujours après la peine»...
Tout ça me rappelle des propos d'étudiants en génie,
à l'université, autrefois. Tiens! des propos du même genre
que j'entendais récemment au restaurant un midi, à une
table voisine occupée par quatre ou cinq hommes, type
cadre de trente-cinq à quarante ans.

ISABELLE

Qu'est-ce qu'ils disaient?

FRANÇOIS

Ben, ils faisaient une analyse coûts/bénéfices du coït.
Quelque chose comme «Je l'invite au resto, ça veut dire
le stationnement, l'essence, les apéros — des apéros un
peu spéciaux, pas juste un petit sherry — , manger à la
carte — ça ferait mesquin de suggérer la table d'hôte ou
le menu —, le vin, les desserts, les cafés, la rose: tout
ça, ça finit par faire une jolie somme. Et on n'est même
pas certains qu'elle va t'inviter chez elle pour un digestif
et un bon bout de nuit; ou bien, si elle ne t'invite pas
chez elle, qu'elle acceptera de venir chez toi. En plus,
va falloir lui tenir tout un discours comme quoi elle est
super, attrayante, bon! intelligente même! et faire attention à ne pas trop parler de toi-même en bien, à ne pas
laisser ton regard errer vers les autres tables, à lui donner
toute ta concentration pendant tout le repas — ton seul
moment de répit étant quand elle va aux toilettes ou que
tu y vas toi-même pour respirer un peu.

ISABELLE

Espèce de cynique dégoûtant!

C'est comme je disais: c'est bien plus simple que vous alliez au bordel. Là, vous êtes sûrs de l'avoir, votre éjac.

FRANÇOIS

Oui, c'est ça. C'est la conclusion des mecs dont je te parle. Somme toute, c'est moins cher et bien moins fatigant que de sortir une femme. Sympa, hein? Sans compter que les putes, on n'a pas à les déshabiller ni à leur faire des choses, non: c'est elles qui font tout le boulot.

Je sais bien qu'à te raconter cela je ne fais que te donner des munitions.

ISABELLE

Oui, vous êtes toujours prêts à nous donner des munitions parce que vous pensez que les fortifications mentales que vous vous êtes construites, sont imprenables. Vous, c'est la force de la logique, nous, c'est l'incohérence des sentiments. Donc, quand vous faites notre jeu, quand vous abondez dans notre sens, vous vous croyez bien subtils, non? C'est la tactique des hommes qui se disent féministes ou sympathisants. Des subtils, des sophistiqués qui croient nous prendre à revers. Et quelle gloire, quelle victoire excitante que de séduire une féministe, que de pouvoir la faire râler, hein!

FRANÇOIS

Bof! Vous autres aussi, les femmes, vous êtes pareilles. La seule différence, c'est que votre analyse coûts/bénéfices est moins explicite. Vous vous dites: «Si je sors avec Christian, si je me montre intéressée, si je suis «gentille» avec lui, il va peut-être m'inviter dans le Sud. Par contre, avec Sébastien ou avec Marc...»

ISABELLE

... Jamais de la vie! Ça, c'est des calculs d'hommes. Bah! il se peut que cela nous arrive aussi, à l'occasion, de... d'avoir à... à soupeser... par exemple, quand on a deux invitations pour le même soir ou le même week-end. Mais jamais, non, jamais, tu vas nous voir crayon en main...

FRANÇOIS

... Pas crayon en main, d'accord, mais ça ne vous empêche pas d'évaluer, de comparer, de supputer. Et si un jules fait reluire mieux qu'un autre, tu mets ça dans la colonne des actifs, si Christian a une voix plus caressante mais que Marc a de plus beaux yeux... Faut pas t'en faire accroire, va!

ISABELLE

Ce n'est pas moi, la naïve de notre couple. Il y a peut-être du vrai dans ce que tu viens de dire, quant à certaines femmes... comme, d'ailleurs, il y a sans doute des hommes plus bassement calculateurs que d'autres...

De toute façon, le rendement que vous escomptez, c'est la fréquence et l'intensité de vos érections et le nombre d'orgasmes qu'une femme peut vous faire atteindre dans une seule séance... C'est bien ça... vous autres les hommes... Comme je le disais, vous avez continuellement besoin d'être gonflés pour que votre ego ne s'aplatisse pas. Et vous nous voyez, nous autres, les femmes, comme vos pompes: faut vous tenir gonflés à bloc tout le temps, autrement vous nous trouvez moches.

Faudrait vous faire continuellement ce qu'on appelle en anglais des «*blow jobs*», vous «faire des pipes», moralement aussi bien que physiquement. Votre queue, c'est bien le symbole de tout votre être: c'est la partie qui vaut pour le tout. On n'a qu'à vous prendre par là et tout le reste vient à l'avenant. C'est la valve de votre ego et on n'est là que pour vous gonfler. Quels beaux ballons vous faites! Oui, la queue… Vous autres, ce n'est pas par le bout du nez, qu'on vous mène, mais par le bout de la queue. Évidemment, Freud dirait que le nez, dans le cliché «mener par le bout du nez», c'est un euphémisme pour «pénis». Et on dit aussi «ne pas voir plus loin que son nez», non?

C'est extraordinaire, votre fascination de la queue… C'est vrai que ça remonte loin. Tu as dû voir des reproductions d'une statue d'un pharaon égyptien ou plutôt d'un de leurs dieux. Toth, peut-être: avec une de ces érections, une érection éternelle… Aussi tous ces hommes superbandés sur les vases grecs dans des musées pas trop prudes…, puis au musée des Eyzies, dans le Périgord, tu te rappelles, tous les pénis en érection, des dizaines et des dizaines, qui remontent à vingt mille ans ou plus. Oui, c'est bien la partie pour le tout: votre partie la plus importante qui résume tout votre être, non? Tiens, plus récemment, tu as entendu parler de ce milliardaire allemand ou américain qui a exigé, dans son testament, qu'on l'empaille après sa mort, en prenant bien soin de déployer et d'ériger son pénis au maximum, et de l'exposer dans cette posture, tout nu, dans un mausolée de marbre construit spécialement pour lui? Debout sur un piédestal d'or massif, bandé pour toujours. Il a laissé là une somme considérable pour l'entretien perpétuel de ce monument qu'il est lui-même devenu.

Il y a aussi des firmes spécialisées qui font des moulages individuels, personnalisés, en plâtre ou en bronze, de queues bandées. Tu devrais aller y faire faire ton moulage et te faire couler un beau pénis en or, que tu pourrais flatter toi-même, lécher, faire reluire. Qui sait, tu en as peut-être un de caché quelque part, ou bien tu l'as prêté à Marie-Jeanne.

N'est-ce pas tristement ridicule, non, qu'une si petite brimbale prenne des proportions à tel point démesurées qu'elle envahisse tout votre espace intérieur?

FRANÇOIS

Tu charries encore. Comme je disais, vous autres aussi, vous bandez et ça vous gonfle, vous autres aussi. Vous vous sentez vivre mieux, plus complètement. Et vous aimez bien ça attirer les regards des hommes, sentir leur convoitise sur vous. Ça vous retape, vous montre que vous êtes appétissantes — quitte à les faire rester sur leur faim une fois que vous les avez fait bien saliver. Tu as dû apprendre ça par coeur, à l'école, un vers d'un vieux poète français, je ne sais plus qui c'était; il disait: «Je meurs de soif auprès de la fontaine». Eh bien, on dirait que c'est ça, votre ambition. Attiser notre soif pour mieux nous faire sécher. C'est plutôt sadique, hein? Pas étonnant que celles qui nous font trop sécher, elles finissent par devoir se contenter de cactus.

ISABELLE

Sentir les regards des hommes sur nous comme des mains gluantes... des regards comme des tentacules qui voudraient t'attraper de partout, un tentacule autour des épaules, un autre autour du cou, un autre autour de la taille, des jambes, d'autres qui se glissent sous ta jupe, se collent à ton ventre, à tes seins... Des yeux d'hommes, ça peut être de vraies sangsues... Et là, vos tentacules voudraient nous forcer, on en a si souvent l'impression, nous forcer à nous agenouiller entre vos jambes pour un gonflage.

FRANÇOIS

Ah, mais là, écoute! nous ne sommes quand même pas des pieuvres!

ISABELLE

Regarde-moi ça un peu objectivement, si tu peux, une queue d'homme. Qu'est-ce que c'est, après tout, et pourquoi devrais-je m'en faire, si tu me refuses la tienne? Je devrais plutôt être contente de ne rien avoir à foutre avec la valve de ta chambre à air, à air bête et suffisant! Hein, qu'est-ce que c'est, une queue d'homme?

D'abord, pour vous autres, une queue ne vaut que bandée. C'est toi-même qui disais que l'érection est une plus-value. Une plus-value parce que ça vous donne l'impression d'être plus que vous n'êtes, d'être mieux, de vivre plus intensément, d'avoir toute votre stature d'homme, quoi!

C'est vrai qu'à vous autres, hommes, une érection, ça ajoute quelques centimètres de cul. Au lieu d'être flasque, là, au bas du ventre, vous v'là debout et vous vous sentez agrandis, agrandis par le bas, remarque, mais ça vous monte à la tête. Vous avez la baguette magique toute prête à créer des merveilles de débordements et vous vous attendez à ce que les femmes tombent en extase devant la splendeur de votre excroissance.

Mais le problème, c'est que vous avez besoin de nous pour bien bander. Alors, vous cherchez des femmes qui vont vous exciter au maximum. Votre bien le plus précieux, là, il est entre nos mains à nous. La plupart du temps, il n'est qu'une petite virgule. Vous vous sentez tellement plus imposants quand votre petite virgule devient point d'exclamation. N'est-ce pas, monsieur le communicateur, que le point d'exclamation est bien plus percutant que l'humble virgule? Ça te met une phrase et un homme en valeur, non? Et c'est pour cela que vous courez après les jupons. Pour trouver des correctrices d'épreuves capables de transformer votre ponctuation.

Tu fais comme si tu ne m'écoutais pas mais je sais que tu ne perds pas une seule de mes paroles, car ta queue, c'est ton gyroscope, comme pour la plupart des hommes. Point d'exclamation aiguille de votre boussole, gyroscope, flèche qui vous entraîne vers les sommets cibles.

FRANÇOIS

Sommets cibles qui ne demandent pas mieux que d'être atteints, comme le tien ce soir, hein? Non mais, ce que tu peux être prétentieuse! Comme si, les femmes, nous ne vivions que pour vous autres, que *par* vous autres! Pour que vous soyez notre Nord, notre cible.

ISABELLE

Mais non, tu n'as rien compris! Nous ne sommes pas vos cibles, votre Nord, vos raisons de vivre: pas du tout. Vous n'avez pas d'autres raisons de vivre que vous-mêmes. Ce que j'ai dit, c'est que vous avez dramatiquement besoin de nous pour vous sentir vivre. Vous avez besoin de nous comme de votre piédestal.

Votre piédestal... votre piédestal parce vous avez besoin d'une femme pour prendre pied, pour «prendre votre pied». C'est significatif, non, qu'on dise «prendre son pied» pour «baiser»? Dans notre système, le plus grand mérite d'une femme, c'est d'être un bon piédestal pour son homme... solide, fidèle, compréhensive; support moral et domestique pour que son homme *ait* bon pied, support sexé pour qu'il *prenne* son pied et qu'il ait bons pieds — au pluriel — bon oeil! Pauvres hommes, vous devez être continuellement supportés pour rester debout, pour rester sur vos pieds. Puis, vu que nous sommes à vos pieds, vous nous regardez de haut, non? Pauvres hommes, pour qui différence implique hiérarchie — avec vous en haut, évidemment.

Je vais te dire, moi, ce que c'est, objectivement, une queue d'homme. Quand ça se dresse, ce n'est pas pour vous bouter l'ego, non. C'est beaucoup plus simple: c'est pour vous permettre, comme à n'importe quel autre mammifère mâle, d'être à notre hauteur, à nous, mammifères femelles.

En fait, c'est par une sorte de condescendance de la langue qu'on vous appelle aussi mammifères, vu que les seuls vrais mammifères, c'est nous. Comparés aux nôtres, vos petits tétons sont bien ridicules, non? Votre fascination pour nos seins ne viendrait-elle pas de là: de ce que vous êtes dépités de ne pas en avoir? Vous êtes dépités de n'être mammifères que par emprunt. Vous dévorez nos seins des yeux, des mains, de la bouche parce que ça vous manque. Vous êtes frustrés parce qu'on appelle les humains «mammifères» et pas «pénisifères»! Votre indécence, votre impudicité ne sont que des expressions maladroites de convoitise. Vous avez bien plus envie de seins que nous de pénis, pauvres hommes! Et ce n'est pas pour rien qu'un des premiers gestes d'une femme libérée, c'est de foutre son soutien-gorge à la poubelle et d'aller torse nu sur les plages. Enfin pouvoir montrer que c'est nous qui les avons, les mamelles! que c'est nous, les seuls vrais mammifères, et qu'on n'a pas à en avoir honte, à cacher nos seins dans des capuchons répressifs sans doute inventés par des hommes, c'est-à-dire par des mammifères d'emprunt.

FRANÇOIS

Remarque bien que je n'ai rien contre l'abandon des... O.K., ça va, je n'ai rien dit.

ISABELLE

Oui, tu fais mieux de couper court parce que tu allais confirmer ce que je disais, encore une fois!

Mais tu m'as fait perdre le fil... Ah oui! vous vous dressez sur votre ergot: ce n'est que pour vous hisser à notre hauteur. Comprends-tu, mon chou? L'érection, ce n'est que pour vous mettre à notre hauteur. L'important, c'est que vous grandissiez assez pour pouvoir nous pénétrer. Flasques, tant que vous en restez à la virgule, vous êtes insignifiants, vous n'êtes que des phrases banales. Évidemment, quand vous passez à l'exclamation, vous vous sentez devenir imposants, percutants, ça vous donne de la gueule, quoi! parce que vous voilà enfin un peu à la hauteur des femmes. Et vous souhaitez que ça dure. En ce sens, oui, tu as raison, l'érection est une plus-value, une valorisation de votre ego. Somme toute, ce n'est que bandés que vous êtes à la mesure des femmes, et c'est ça qui vous torture, non? C'est la raison pour laquelle votre ego est si sensible de la queue. Et vous avez peur de nous, oui, peur de nous; par conséquent, vous nous maltraitez, vous nous opprimez. L'oppression, c'est le réflexe des peureux — le réflexe des courageux, je devrais dire des courageuses, c'est la coopération dans l'égalité. Au fond, vous êtes tous des couillons.

Après tout, la langue, elle n'est pas si bête, hein? «Couillon», ça vient de «couilles», pas vrai? Or qui c'est qui les a, les couilles, mon chou?

Nous, on est les mammifères; vous autres, vous êtes les couillons.

Bon, moi aussi je vais prendre du bas armagnac. Je le mérite bien.

Isabelle va se servir au bahut à alcools et ensuite verse une nouvelle rasade d'armagnac dans le ballon vide de François.

FRANÇOIS

Pour ça oui, tu mérites un remontant. Tu devrais rédiger ta belle envolée et la publier dans une revue féministe. Tu répètes tous leurs clichés. Avec un certain ton et un certain brio, il faut que j'en convienne. Tu as l'art de faire reluire… des clichés.

Mais dis-moi, toi si lucide, si notre gyroscope, c'est notre queue, vous autres, les femmes, qu'est-ce qui vous fait marcher? Tu le sais?

ISABELLE

Bien sûr que je le sais. C'est…

FRANÇOIS

… Minute, c'est à mon tour. Ce qui vous fait marcher, vous autres, c'est le manque de queue. Vous courez après comme un chien qui a perdu la sienne. Vous êtes désespérément en manque de queue; en guise d'exclamations, vous devez vous contenter de cris et de scènes.

ISABELLE

Minable freudien, va! Il en a inventé un beau mythe, ce vieux couillon. Il avait si peur de la castration qu'il a réussi à faire partager sa hantise à tout l'Occident. Son vrai nom n'est pas Sigmund Freud, non, c'est Sigmund Couillon! Et sa phobie a été contagieuse comme aucune autre épidémie. Tiens, il faudrait rechercher pourquoi. Tes marxistes auraient sûrement une explication. Ça été contagieux au point que même les femmes ont été contaminées et qu'elles se sont mises à croire, ces folles abusées par le vieux couillon, qu'elles en avaient vraiment envie, du pénis. Non mais, le vieux couillon, ce qu'il a commis, c'est un crime de lèse-mammifère! S'il était encore vivant, je les lui arracherais, moi, les couilles et la queue, je les lui ferais dissoudre dans de l'acide sulphurique, je...je les lui ferais dévorer par des rats affamés ou par des fourmis rouges...

FRANÇOIS

... Calme-toi, calme-toi.

ISABELLE

C'est abominable, le tort qu'il a fait à tout le monde. Tiens, l'autre jour, je lisais un article dans une revue pas féministe du tout, qui citait un ancien mythe, sud-américain, africain ou du Pacifique, je ne me rappelle plus. Je vais te le résumer.

Cesse de regarder ta montre et va encore téléphoner. Après, je te raconterai le mythe en question.

FRANÇOIS

Bof! Raconte toujours. À l'heure qu'il est mainte-nant.

ISABELLE

Oui, tu as bien raison, laisse-la poireauter à son tour.

Bon, le mythe rapporte comment, au début de l'humanité, il n'y avait que des hommes sur la terre. Et ils étaient bien malheureux. Une nuit de pleine lune, tandis que le firmament était très clair, l'un d'eux, qui ne pouvait pas dormir, torturé par le malheur général, grimpa très haut, jusqu'au sommet du plus haut cocotier de la plus haute montagne, pour voir s'il n'y aurait pas, de par le monde, quelques autres êtres plus intéressants que des hommes. Il regarda partout, mais rien, rien que des hommes. Tout à coup, au sommet de l'arbre, une noix de coco surnaturelle s'ouvrit toute seule, lui happa les couilles et le pénis, et les lui arracha. L'homme fut plus surpris que meurtri et il ressentit soudain comme une grande libération. Il redescendit rejoindre les autres hommes, qui se rendirent compte qu'il avait été débouché. Ils l'appelèrent «femme».

Une femme, c'est un homme débouché. Et c'est en commémoration de ce bel événement que les femmes, à chaque pleine lune, saignent entre les cuisses.

Freud aurait dû lire ce mythe-là: ça l'aurait peut-être fait réfléchir. Ça lui aurait peut-être débouché le cerveau!

FRANÇOIS

Freud aurait pu avoir été moins étroit d'esprit.

ISABELLE

Et surtout il aurait dû être moins macho.

Isabelle se lève, s'approche de François par derrière, lui caresse les épaules.

ISABELLE

Viens, passons au salon...

FRANÇOIS

Bof!... non, pas maintenant.

François se lève, va se planter devant une fenêtre, mains dans les poches.

ISABELLE

Pas maintenant, pas maintenant... c'est jamais maintenant!

Oh! je sais bien. Je ne compte pas, moi, je n'ai d'ailleurs jamais compté. Et chaque fois que je me permets naïvement d'espérer...

Mais ce qu'il faut que je sois bête pour accepter toute cette merde! Je devrais partir.

FRANÇOIS

Si partir est ce que tu crois avoir de mieux à faire.

ISABELLE

Oui, partir: ça ferait ton affaire, que je parte, non? tu serais bien débarrassé. Si je partais, tu verrais peut-être comme tu tiens à moi.

Est-ce que tu me reprendrais ensuite, plus tard, si je revenais?

FRANÇOIS

C'est une question que posent les copines libérées dont tu parlais tout à l'heure?

ISABELLE

Partir... partir... mais pourquoi faudrait-il que ce soit moi qui parte? C'est moi qui ai trouvé cet appartement, c'est moi qui l'ai aménagé, décoré, c'est moi qui ai construit notre nid!

FRANÇOIS

Tu l'as plus ou moins bien construit, il me semble, puisqu'il s'est effrité avec le temps.

ISABELLE

Oui, mais ça, c'est parce que tu ne t'en es jamais occupé, toi. Tu n'as jamais rien fait pour rendre notre foyer plus plaisant, plus agréable, plus chaleureux. C'est toujours moi qui ai dû m'ingénier.

Tu n'as jamais levé le petit doigt pour essayer de montrer que, toi aussi, tu serais intéressé à construire avec moi un nid bien à nous, doux, sensuel, où il ferait bon vivre. Non, ça n'intéressait pas Monsieur, les détails, l'ambiance. Tu n'as même jamais compris que j'aimais une lumière diffuse pour faire l'amour, tu m'as toujours imposé un éclairage brutal.

Et te rends-tu compte que tu ne m'as jamais aidée à faire le lit? et que c'est toujours moi qui sors les ordures?

FRANÇOIS

Je te l'ai dit: si tu t'es trompée sur moi quand *tu* as

décidé qu'on se marierait, ce n'est pas moi qui ai fait l'erreur de jugement.

D'ailleurs, tu connaissais assez ma famille, tu savais comment j'avais vécu. Ma mère a toujours fait tout, tout, à la maison. Chaque soir, quand mon père rentrait du boulot, elle lui apportait ses pantoufles, sa bière, son journal. «Pauvre chéri, comme tu dois être fatigué après une grosse journée de travail! Tu dois être bien content de rentrer à la maison et de retrouver ta bonne petite femme qui fait son possible pour que tu puisses te reposer un peu! Et je t'ai préparé un bon petit souper, tu vas voir! MMMMMMM! mon beau chéri!»

Et le vieux prenait ça en ronronnant comme un matou. Bon Dieu que c'était vache!

Nous autres, mon frère et moi, on a toujours été gâtés. Notre mère faisait tout, tout! C'était elle qui nous conduisait au centre sportif, le samedi matin, pour que son chéri senior puisse dormir tard. C'était elle qui nous achetait nos vêtements sans qu'on ait même besoin d'aller magasiner avec elle — elle savait nos tailles de mémoire — pour que ça ne nous fatigue pas, aller magasiner…Que veux-tu, on a été gâtés, pourris.

ISABELLE

Ce n'est pas parce que vous avez pris votre mère pour une bonne à tout faire, et même encore pour moins que ça, que ça te justifie. Tu as grandi, non? Tu te rends compte de ton attitude macho? Alors ce devrait être une raison pour changer. Ça s'assainit, des eaux stagnantes. J'ai bien essayé d'irriguer ton marécage… de creuser un canal pour que tu sortes un peu de toi-même… que tu finisses par te jeter dans le fleuve de la vie. Je dois bien me rendre à l'évidence, maintenant: j'ai échoué.

FRANÇOIS

Le canal pour me jeter dans le fleuve de la vie, c'est moi qui l'ouvre. Enfin!

ISABELLE

Comme j'ai été sotte! Je t'ai trop donné. J'aurais dû savoir: il ne faut pas trop donner à quelqu'un qui a les mains trop petites et le coeur trop mesquin pour le cadeau qu'on lui fait. Il ne comprend pas, ou bien ça l'infériorise, ça l'accuse. Pardonne-moi François, je t'ai cru meilleur que tu n'es… je t'ai surestimé.

FRANÇOIS

En tout cas, si, à toi, je ne plais pas, il y en a d'autres qui savent m'apprécier.

ISABELLE

Comme si moi, je ne… À quoi bon! Parce qu'elles sont moins perspicaces que moi. Ou bien parce qu'elles ne te connaissent pas encore.

Pause.

Tu t'agites. Tu te demandes ce qu'elle peut bien foutre, après tout, ta MJ. Tu lui en veux parce que son manque d'égard te force à perdre une soirée ici, en ma compagnie acariâtre. Tu lui en veux parce que tu te dis qu'elle te traite dédaigneusement, la belle! Non, mais te laisser te ronger d'inquiétude, de jalousie, même… faut-il qu'elle soit sans coeur, ou bien encore, qu'elle soit dangereusement indépendante…
C'est une femme libérée, ta MJ?

FRANÇOIS

Bof!

ISABELLE

En tout cas, elle se comporte tout comme! Elle ne
sera pas aussi facile à opprimer que moi. Chapeau, MJ!

FRANÇOIS

Veux-tu bien cesser de l'appeler «MJ»!

Nous autres, les hommes, ce n'est pas dominer que
nous voulons. En tout cas, pas moi. Je ne vis pas pour
opprimer les femmes. Tout ce que je veux, c'est être
bien. Tu devrais comprendre ça. Se sentir bien avec quelqu'un, c'est ce qui compte. Se sentir à l'aise, libre. Pouvoir
se laisser aller, tout bêtement, sachant qu'on est accepté
comme on est, sans avoir à se donner des airs. Pouvoir
être flasque, là, débandé, complètement débandé, c'est
bon... c'est... c'est serein...

Ton analyse de l'érection et tout le tralala, de monter
sur ses ergots, pour s'exclamer, c'est bien pittoresque et
suggestif, mais c'est de la foutaise... si tu me passes le
calembour.

ISABELLE

C'est toi qui te trompes. Tu crois être bien avec elle
parce que tu peux te donner des airs sans que ta poulette
te le reproche.

FRANÇOIS

Marie-Jeanne n'est pas une poulette! Je te l'ai déjà
dit!

ISABELLE

Même, au contraire, elle semble te croire, la naïve. Ou bien, connaissant l'homme, elle est très forte, très rusée. Il y a des femmes qui connaissent bien les hommes, c'est certain. Mieux que moi, en tout cas, et qui sont plus adroites, je suppose. Alors, elle dit t'admirer, te croire, elle te trouve «important». Elle joue le même jeu avec toi que ta mère avec ton père. Et toi, gros bêta, tu tombes dans le même piège, celui-là que tu dénonçais tantôt.
Pourquoi ne deviens-tu pas homosexuel?

FRANÇOIS

Que je... tu déparles! Mais...

ISABELLE

... Cela doit être tellement plus simple, tout devient tellement plus simple entre gens du même sexe. Pourvu, évidemment, qu'on ne donne pas dans le panneau, pourvu qu'un des deux hommes ne fasse pas la femme, ce qui rend tout encore plus compliqué qu'avec une vraie femme.

FRANÇOIS

Plus simples, tu dis que les relations homosexuelles sont plus simples?

ISABELLE

Ben oui. Parce que les femmes ne te menacent plus dans ton intégrité vitale. Et je suppose que, entre Narcisses, on n'est jamais impotents? Tu fais à l'autre exactement ce que tu veux qu'il te fasse; tu as un miroir vivant à ta disposition; et le désir le plus saugrenu, la caresse la plus exquise, tu n'as qu'à les lui esquisser pour qu'il te les rende immédiatement, avec les mêmes délicieuses surprises.

Et alors, dans un couple homosexuel réussi, il n'y a plus de rivalité, ni de hiérarchie, ni de problèmes de domination ou d'oppression.

François, la puissance, pour toi, qu'est-ce que c'est? C'est de m'avoir, moi, à portée de la main pour te servir, pour être ton piédestal?

FRANÇOIS

La puissance, c'est la source du pouvoir. Et le pouvoir, c'est avoir de l'autorité... de pouvoir faire faire aux autres et faire soi-même comme on croit qu'on doit.

ISABELLE

La puissance, François, c'est l'illusion de la liberté. Tu comprends? L'illusion. Tu penses que, ayant un pouvoir, ayant des pouvoirs, tu vas être capable de faire ce que tu veux, tu vas être supérieur à tout, tu vas être libre. C'est pour ça que vous autres, les hommes, vous avez toujours peur de perdre cette puissance, de devenir impotents à tous les niveaux. Pauvres freudiens, va! Deviens impotent et tu n'es plus important. C'est pour cette raison que vous, les hommes, avez si peur de vous donner entièrement, à autre chose que ce que vous faites; donner, pour vous, doit être un placement, et un placement rentable. Autrement, vous craignez une perte de puissance. Vous ne vous abandonnez jamais que parcimonieusement, sou à sou, pour ainsi dire, et toujours en pensant à ce que ça pourra vous rapporter. En fin de compte, votre puissance, vous ne la laissez filer qu'un tout petit peu entre les mains d'une femme qui saura la faire se trémousser en vous gonflant l'ego. Excuse-moi si je me répète, mais c'est important.

FRANÇOIS

Jamais de la vie! Je te l'ai dit: il n'y a rien de plus chiant qu'une femme servile. Comprends-tu?

ISABELLE

Ben oui, mais ce n'est pas de ça que je parle. Une femme qui excite en vous la puissance, ce n'est pas une femme servile, c'est une femme indépendante et habile, une qui sait vous manipuler. Elle sait d'abord être difficile, pour ménager sa rareté, pour rester un objet *cher*, et pour vous donner l'impression que, pour en faire la «conquête», il vous faut mettre le paquet. Mais alors, quelle haute opinion de vous-mêmes vous aurez le droit d'avoir! Plus difficile s'avérera la conquête, plus brillant sera le général qui aura remporté la victoire!

FRANÇOIS

D'accord, d'accord. Les coquettes et même certaines femmes qui ne sont pas coquettes savent nous faire marcher. C'est sûr que, bien souvent, on est terriblement naïfs. C'est à en devenir misogyne, hein?

ISABELLE

Oui, si tu veux. Au fond, tout est question d'épreuves de force. Si les femmes manipulent les hommes, c'est probablement pour renforcer leur propre sentiment de puissance personnelle. Apprendre à être «irrésistibles» est une question de vie ou de mort pour nous. Vois-tu, une femme se croit puissante, elle aussi, quand elle sent un homme se tordre de volupté sous ses caresses. Là, elle peut rire dans sa tête, car c'est par la qualité du plaisir qu'on octroie, qu'on s'attache des esclaves.

FRANÇOIS

Ou bien, si on est putain, qu'on s'attache des clients! Mais tu es encore plus crasse que moi, Isabelle! Et tu ne comprends rien, vraiment rien!

ISABELLE

Ah! non? Bien, écoute...

FRANÇOIS

... Tais-toi, c'est à mon tour. Tu ne comprends rien. Faire l'amour, c'est se démunir. Ça n'a rien à voir avec s'asservir ou s'assujettir un ou une partenaire. Faire l'amour avec calcul, inspiré par un sentiment de puissance, pour s'attacher des esclaves à cause du plaisir qu'on leur donne, eh ben! si c'est ça ton analyse marxiste de la sexualité, eh ben! tu peux aller te faire foutre!

ISABELLE

Me faire foutre, moi, je veux bien: c'est toi qui te refuses!

FRANÇOIS

Ne change pas de sujet tout le temps. Faire l'amour, c'est se démunir. C'est s'abandonner, oui, s'abandonner, pour un homme, en tout cas... probablement pour une femme aussi, mais là, je le sais moins. Être nu, être plus nu que nu, si tu vois ce que je veux dire. S'en remettre là, à l'autre, à la femme qui t'a envahi, à qui tu t'emmêles

90

le plus possible, peau à peau, les yeux dans les yeux, les langues, les dents qui s'entrechoquent, qui se grugent, les corps tout emmêlés. Puis là, tu te perds l'un dans l'autre, l'un par l'autre, et tu te retrouves à l'envers, ou de travers, et tu ne sais plus lequel des deux est à qui, à qui sont les baves, les jus, les pieds, les bras, tout ça luisant, suintant, coulant...

... C'est pas une question de puissance ou de domination, c'est pas une question de corps à corps dans l'antagonisme, c'est bien plus une affaire de corps à corps parce qu'on est coeur à coeur!

ISABELLE

Comme tu parles bien. Quel dommage que ce ne soit plus pour nous...

FRANÇOIS

Ça l'a déjà été? Sois lucide. On est toujours restés plutôt sur la réserve, nous deux, alors qu'il aurait fallu nous perdre l'un dans l'autre.

Une relation sexuelle, ce n'est pas une compétition, un concours à qui donnera le plus de plaisir à l'autre. La vraie jouissance, c'est de se laisser aller, de se laisser faire activement par l'autre, et l'autre fait pareil. On se fait faire, on se fait faire au sens fort du mot, on se fait créer, en faisant l'amour. On se fait faire, défaire, refaire, comprends-tu, et c'est ça qui recrée, qui renouvelle. Ton partenaire, c'est l'architecte et l'ingénieur, c'est l'architecte-ingénieur de ton devenir. C'est sacrément important, ça!

Le plus difficile, c'est apprendre à se laisser aller, à se laisser aller activement... Ça n'est pas une question de à qui le tour, à qui telle initiative, elle m'a fait ci, je lui fais ça. Ben non, c'est les deux ensemble; comme en dansant avec un bon partenaire et on s'oublie tous les deux en harmonie dans la musique.

ISABELLE

Et pourquoi ce ne serait pas nous deux, qui nous oublierions dans notre musique? François, il n'y a rien qui me rendrait plus heureuse!

FRANÇOIS

C'est que notre musique sonne faux. Nos instruments n'ont jamais été véritablement accordés. Dès la première mesure. Je te le répète: c'est toi qui as voulu qu'on se marie. Tu vois, ça n'a pas été d'un commun accord spontané. Tu as forcé la note, à ce moment-là. Ensuite, toi et moi, on a pris des habitudes. On est restés sur la défensive plutôt que de se laisser aller comme nous l'aurions dû.

Tu disais tout à l'heure que, depuis deux ans, c'était toujours toi qui prenais l'initiative. Je me rappelle aussi comment, même au début, tu calculais. Par exemple, tu me disais avoir remarqué que c'était toujours toi qui commençais les caresses génitales, que j'attendais avant de te caresser là que toi, tu aies commencé à me mettre la main au bon endroit.

ISABELLE

Mais c'est vrai, ça a toujours été vrai!

FRANÇOIS

D'abord, non, c'est faux. De toute façon, tu le vois bien, on a mal commencé tous les deux, et on a continué tout aussi mal. On a été de mauvais architectes-ingénieurs de nos relations.

Peut-être les relations fonctionnent-elles bien seulement la deuxième fois. La deuxième fois, parce que la première n'est qu'un apprentissage. Que veux-tu, Isabelle, on doit faire ses essais quelque part, non? Et pour arriver à la vraie «compétence», ce n'est pas assez de baiser ici et là: il faut vivre à deux pas mal longtemps. Ça prend un sacré bout de temps pour apprendre à faire l'amour. D'abord, pour acquérir assez d'expérience, avec un partenaire constant, puis faire toutes sortes d'erreurs et ensuite repartir du bon pied, la deuxième fois, avec quelqu'un d'autre.

ISABELLE

Et alors, rendu à la quatrième ou cinquième partenaire, ce que ça doit être, hein, comme bon pied!

FRANÇOIS

Ah! laisse faire!

ISABELLE

Mais non, moi, je veux savoir! Qu'est-ce qui a cloché dans notre cas?

FRANÇOIS

D'abord, il y a eu la question du mariage. Comme je te l'ai déjà dit deux fois, tu as forcé la note en me forçant la main. Ensuite, bon, nos premières années, la Gaspésie, tout le reste. On s'essayait, on essayait de bien s'apprendre l'un l'autre; sans grand succès, à mon avis.

ISABELLE

Mais on s'est appris! On a eu des orgasmes ensemble dont je me souviendrai toujours, des orgasmes simultanés. Tu te rappelles le petit bois près du lac, dans la clairière, avec le soleil dans les feuilles de l'automne?

FRANÇOIS

Le petit bois près du lac?

ISABELLE

Mais oui, près du lac Vert, à l'automne...

FRANÇOIS

... Je te l'ai dit: tes meilleurs souvenirs ne sont pas nécessairement les miens... De toute façon, toi et moi, on n'a jamais appris à dépasser l'orgasme. C'est ça qu'il faut comprendre. L'orgasme, ce peut souvent n'être qu'une entrave, quelque chose qui... quelque chose dont il faut se débarrasser, pour vraiment bien faire l'amour. Ce ne doit être qu'une étape. Il n'y a rien de plus capoté que de s'y arrêter. Si, il y a quelque chose de plus capoté: cette opinion de saint Augustin qu'on nous mettait au tableau aux cours de morale sexuelle — tu vois, je la sais encore par coeur! «*Post coïtum, animal tristis est*», «Après le coït, l'animal est triste». Merde! Peut-on être plus capoté! plus vicieux, oui, vicieux! sadique! c'est encore plus dégueulasse que Freud. Mais non: l'animal est heureux, heureux *après* le coït précisément. C'est sur le coït que ton analyse marxiste se casse la gueule.

ISABELLE

Ce n'est pas «mon» analyse marxiste; c'est toi qui as évoqué le marxisme. Un cliché comme un autre, non?

Je suppose que le marxisme offre des ornières de pensée où l'esprit peut rouler tout aussi bien que dans celles du christianisme. Mais continue, tu ne m'avais jamais parlé avec autant de conviction.

FRANÇOIS

Que ça soit toi ou moi qui aie commencé à parler de marxisme, aucune importance. Imagine-toi que la plus-value, dans l'amour, pour un homme et probablement aussi pour une femme, c'est de ne plus être bandé. Là où tu te trompes, vois-tu, c'est quand tu dis que pour nous, les hommes, ajouter quelques centimètres d'érection à notre ego vient en premier dans l'amour. Ben non! Ce qui compte, c'est simplement d'être ensemble, dans le même vide... dans la même plénitude suprême, dégagés de tout, comme... comme un bateau à la dérive, doucement, le moteur éteint, voguant sur son erre jusqu'à l'accostage. Faire l'amour, c'est comme un voyage.

ISABELLE

Oui: «tripper». Un *ego trip*.

FRANÇOIS

Non, pas du tout. Tu te trompes encore.

Le démarrage, la «bandaison», c'est le départ. Ce qui est important, ce n'est pas le voyage comme tel. Sans doute, c'est bien agréable de partir ensemble. Mais ce qui est important, c'est d'arriver, d'arriver à destination.

L'anglais comprend peut-être mieux cela que le français. En français, pour parler d'orgasme, on dit «partir»; en anglais, on dit *«to come»*, «venir», «arriver». C'est bien plus juste. C'est quand on arrive au bout du voyage que c'est bon. Encore une fois, le trajet est plaisant, on connaît toutes sortes d'émerveillements en route, mais l'essentiel n'est pas là. L'essentiel, c'est d'arriver, non de partir. Une fois arrivés, c'est là qu'on décroche, on s'attable, on va faire une promenade, on va dormir: on est rendus. «Rendus», comme on dit parfois, rendus-fatigués, rendus-à-destination. «Rendue» comme dans «bien rendue» quand une chanson est bien interprétée. Tu vois ce que je veux dire?

ISABELLE

Je crois, oui… malheureusement. Malheureusement parce que toi et moi, ça fait longtemps qu'on ne voyage plus ensemble.

FRANÇOIS

Honnêtement, peux-tu dire que nous ayons jamais voyagé de cette façon?
La plus-value, au fond, ce n'est pas l'excitation. Non, c'est son contraire: c'est le dégonflage, pour reprendre ton expression. D'accord, il faut bien se gonfler pour partir, mais c'est arriver qui compte. C'est dans l'après-coït — orgasme ou pas orgasme — qu'est le bonheur.

ISABELLE

Sais-tu, François, je me demande si ce que tu cherches profondément dans les femmes, ce n'est pas ta mère…

FRANÇOIS

… Ma mère?

ISABELLE

Si, si, ta mère. Tout ce que tu viens de me dire depuis un quart d'heure, est-ce que ça ne serait pas la nostalgie du retour au sein maternel? Te voilà de nouveau tout petit bébé qui n'aspire qu'à se blottir dans la sécurité du ventre maternel. Là où tu pourrais enfin t'abandonner, te perdre pour te retrouver tout pur et plus nu que nu, comme tu dis.

FRANÇOIS

Ça n'a rien à voir avec les thèses connes des psychologues délirants qui renforcent les clichés freudiens. Puis, même si c'était vrai, être traitée comme une mère, n'est-ce pas ce qui valorise le plus une femme? Est-ce que ce n'est pas alors qu'elle se laisse aller, qu'elle est comblée de contentement, qu'elle s'épanouit dans la réalisation de son devenir biologique fondamental?

On est peut-être tous des bébés, les hommes et les femmes, qui jouent au papa et à la maman — non, qui jouent à la maman et à l'enfant!

ISABELLE

Tu commences à parler comme certaines femmes... C'est ta Marie-Jeanne qui t'a appris ça?

FRANÇOIS

Je ne sais pas.

ISABELLE

Félicite-la pour moi! En deux ans, elle t'en aurait appris plus que moi en dix! Mais ne te rends-tu pas compte, espèce de con, que c'est moi, au fond, qui t'ai appris tout ça et que, maintenant, c'est elle qui en profite? Merde que c'est injuste! Après tout ce que j'ai fait pour toi.

FRANÇOIS

C'est pareil pour toi. Sans doute que, sans le savoir, on s'est préparés pour d'autres partenaires. Parce que tout ce que je viens de te dire, c'est des choses qu'on apprend seulement après avoir vécu une expérience de couple, et après l'avoir balancée.

ISABELLE

C'est pour ça que tu me balances?

FRANÇOIS

Mais comprends donc! Ce n'est pas toi que je balance: c'est une situation que j'essaye de dépasser. Évidemment qu'on pourrait rester comme avant, comme nos parents. Acheter une maison, faire des enfants et des économies, suivre des cours du soir et aller en voyage, tout ça pour nous en faire accroire. Ça nous permettrait peut-être d'oublier tout le reste, d'oublier l'essentiel: arriver ensemble à bonne destination. Pour nous, ça a toujours été le voyage qui a compté, plutôt que l'arrivée. On avait beau se minoucher pour se donner des orgasmes simultanés, une fois que les cloches avaient sonné, on roupillait parce qu'on n'arrivait plus nulle part. Ou plutôt, on arrivait toujours au même point, à la même gare, au même chalet qu'on connaît par coeur et qui nous écoeure, à la fin, parce que chacun y revenait flapi par le trajet. Que veux-tu, toi et moi avons creusé nos ornières, imperceptiblement, et nous y roulons depuis trop longtemps. On a fini par faire l'amour de façon machinale, sans même y penser... La platitude, la torpeur du quotidien; et on a hâte à la nuit, on a hâte de dormir pour y échapper, en espérant que nos rêves seront plus intéressants que la réalité morne et morose.

Le lendemain matin, on se réveille et ça redémarre. On fait des choses, on s'occupe pour se regonfler. On se remet en marche, vaille que vaille, côte à côte dans l'ennui. On se fait marcher l'un l'autre pour se faire accroire que «ça» marche encore entre nous alors que, en fait, la seule progression est celle d'une platitude immense qui nous avachit l'un et l'autre de plus en plus, jour après jour.

En passant, tu sais qu'il existe une formule mathématique pour mesurer la progression de l'ennui? Elle permet de décrire une suite dans laquelle chaque nouvel état est déduit du précédent par une loi constante d'augmentation. Pour l'ennui, progression géométrique sans doute; pour le bonheur, par contre, progression arithmétique, je suppose...

ISABELLE

Aujourd'hui moins qu'hier et bien plus que demain...

FRANÇOIS

Oui, si tu veux... ou bien: aujourd'hui plus moche qu'hier mais bien moins moche que demain; la platitude des vieux couples.

ISABELLE

Bon, je pense que j'avais compris depuis le début.

Tu veux le divorce. Ça aurait été plus simple si tu m'avais répondu oui tout de suite, quand je t'ai posé la question tantôt. Je me demande, tout à coup, si tu ne m'as pas joué toute une comédie, ce soir. Tu ne serais resté à la maison — et tu aurais prétexté un appel à recevoir — simplement parce que tu lui aurais promis, à ta MJ, que ce soir tu ferais le grand pas: la grande demande, la demande de *dé*-mariage: la demande de mariage à défaire. Dis, mon chou, est-ce que je ne te devine pas correctement?

Sonnerie du téléphone. François se dirige sans précipitation vers la pièce où se trouve l'appareil et il en laisse la porte ouverte de sorte qu'on entend sa partie de la conversation.

FRANÇOIS

— Allô?

— Ah oui, c'est toi! Je me...

— Oui...

— Oui...

— Tu es allée...

— Ah!...

— Tu...

— Quoi!

— T'es bien certaine?

— Bon, oui, mais...

— Mais... mais non, quand même!

— Tu ne m'as pas fait...

— Bon... Oui, j'arrive. À tout de suite.

François rentre dans la salle à manger, livide. Il se dirige droit au bahut à alcools, s'y verse une grande rasade d'armagnac, qu'il avale d'un trait.

ISABELLE

C'était «elle»... Je m'étais donc trompée... Tu attendais bien son appel. Enfin, je me suis trompée sur ce petit point-là, mais pas nécessairement sur le reste, sur la grande demande de mariage à défaire.

Dis donc, tu n'y vas pas avec le dos de la cuiller! Qu'est-ce qui se passe? Ça a l'air grave, tu es tout pâle!

Mais parle, pauvre toi!

Ta Marie-Jeanne t'envoie paître?

Mais qu'est-ce qu'il y a, François?

FRANÇOIS

Merde de merde de merde!

ISABELLE

Te voilà tout chaviré... Qu'est-ce qui t'arrive?

FRANÇOIS

Oui, oui, c'était elle.

ISABELLE

Elle te laisse tomber pour un autre? Non, ce n'est pas ça... C'est différent et pire, à en juger par ta réaction.

Bon, je vois. Vous allez avoir un bébé. Vous allez avoir un bébé et toi, tu n'en veux pas. En fait, je te vois assez mal dans le rôle du père. Mais l'enfant serait encore plus à plaindre que toi, non?

FRANÇOIS

Ne peux-tu pas te taire!

ISABELLE

Ne pars-tu pas en coup de vent? Je t'ai entendu lui dire que tu arriverais tout de suite… Te trouves-tu soudain en panne d'érection? ton ballon est crevé?

FRANÇOIS

Laisse-moi souffler un peu, veux-tu…

ISABELLE

… Le coup est dur. Il faut que tu te ressaisisses… Bof, ce n'est pas si terrible que ça, un bébé… Tu verras: les couches, les nuits blanches à faire autre chose que l'amour, être trop fatigué le lendemain pour baiser… Mais ça finit par se placer, après quelques années de sacrifice.

FRANÇOIS

Merde de merde!

ISABELLE

Sous le choc, tu perds en précision de vocabulaire mais tu gagnes en intensité. Elle n'a qu'à se faire avorter, non? Vous ne preniez pas de précautions? Vous êtes un peu têtes de linotte: comment est-ce qu'une femme, de nos jours…

FRANÇOIS

… Non, elle n'est pas tête de linotte. Elle a une façon de voir les choses, la vie…

ISABELLE

… Oui, sans doute le zen ou le karaté.
Et vous ne vous croyez pas assez extraordinaires, vous deux, pour vouloir vous perpétuer en une image autonome, un miroir vivant de votre amour: un beau bébé *made* cinquante pour cent, François, cinquante pour cent MJ?

FRANÇOIS

Tu ne comprends rien.

ISABELLE

Ah! je vois: elle est enceinte, mais pas de toi!

FRANÇOIS

Mais… mais comment as-tu deviné ça?

ISABELLE

Elle est mariée?

FRANÇOIS

Oui.

ISABELLE

Elle vit avec son mari?

FRANÇOIS

Sur les bords, comme ça. Ils vivent encore ensemble... officiellement.

ISABELLE

Et je parierais que ce n'est pas de lui non plus qu'elle est enceinte.

FRANÇOIS

C'est ça, ce n'est pas de lui.

ISABELLE

Et pas de toi non plus. Pauvre François, va!

FRANÇOIS

Bordel de merde!

ISABELLE

Bon, alors, qu'est-ce que vous allez faire?

FRANÇOIS

J'sais pas.

ISABELLE

D'abord, ça peut être très simple si elle tient à toi plus qu'à ce foetus. Qu'elle se fasse avorter. À combien de semaines en est-elle?

FRANÇOIS

Combien de... je ne sais pas.

ISABELLE

Si elle n'est pas trop avancée, ce n'est pas compliqué du tout.

FRANÇOIS

Non, elle ne fera jamais ça.

ISABELLE

Pourquoi pas?

FRANÇOIS

Oh! ce serait trop long de tout t'expliquer.

ISABELLE

Mais qu'est-ce qu'il te reste à faire, crois-tu?

FRANÇOIS

Je ne sais pas, je te dis!

ISABELLE

Quant à moi, si elle t'aime plus que son foetus, elle n'a pas d'autre solution que de se faire avorter. Autrement, il vous faudra ou bien vivre ensemble avec le marmot, ou bien rompre, ne plus vous revoir, en tout cas.

Mais j'y pense, en fait, c'est ça, vraiment, ta plus-value pour une femme: la grossesse! Et c'est pour cela que ta Marie-Jeanne ne veut pas se faire avorter. À cause de la plus-value.

FRANÇOIS

Hein?

ISABELLE

Tu as l'esprit ailleurs, tu ne m'écoutes pas. Je te disais que la plus-value, pour une femme, ce qui la survalorise à ses propres yeux, c'est la grossesse. Ben oui, si un homme se sent plus lui-même, plus viril quand il est bandé, une femme, elle, c'est quand elle est enceinte qu'elle se sent supérieure. Comme gonflage, c'est un peu plus impressionnant qu'une érection, non? Tout son corps, tout son organisme est plus actif, superactif. Elle est deux fois plus elle-même que quand elle n'est pas enceinte: il y a elle, plus quelqu'un en elle, quelqu'un qu'elle est en train de fabriquer. Et quelqu'un qui sera à elle pour toujours… quelqu'un qui ne pourra jamais la divorcer.

C'est pour ça que ta Marie-Jeanne ne veut pas se faire avorter?

FRANÇOIS

Non… j'sais pas. Ah! écoute, c'est pas le moment des grandes théories!

ISABELLE

Ce n'est pas une grande théorie, c'est des faits.

Si nous, on en avait eu, des enfants, crois-tu que notre mariage…

FRANÇOIS

… Des enfants? Nous, avoir eu des enfants?

ISABELLE

Ben oui. D'ailleurs, ce serait possible. Je ne suis pas encore ménopausée, au cas où tu ne le saurais pas!

FRANÇOIS

Des enfants! Jamais de la vie!

ISABELLE

Ben quoi! Si nous en avions eu, des enfants, peut-être que notre mariage serait plus heureux, non?

FRANÇOIS

Pour ça, non! Des enfants, on n'en a que pour se faire plaisir à soi-même. On ne les a pas pour leur bien à eux, dans ce merdier de monde, penses-tu! on ne les a que pour son bien à soi. Parce que ça étoffe, ça assoit, ça donne comme un prolongement.

ISABELLE

Ça corrobore un couple, le réconforte... surtout la mère. L'autre jour, au bureau...

FRANÇOIS

... Ah! toi et tes histoires de bureau!

ISABELLE

Ben, c'est la vie, des histoires de vie. Au bureau ou ailleurs! Écoute, je n'en ai que pour trente secondes. Tu vas voir, c'est très pertinent....
Il y a deux nouvelles employées, des jeunes, entre vingt et vingt-cinq ans. Une réceptionniste et une dactylo.

Je les entendais parler entre elles. Elles disaient qu'elles voulaient un enfant, qu'elles en voulaient — et c'est ça qui confirme ta théorie et qui est tragique — qu'elles en voulaient pour *faire* et donc *avoir* quelqu'un qui soit entièrement dépendant d'elles, quelqu'un qui leur devrait tout et qui, par conséquent, serait obligé de les aimer. Tu te rends compte? Quelqu'un qui soit *obligé* de t'aimer. Faire quelqu'un, *faire* un enfant pour l'*avoir*, l'avoir comme une chose. Et elles disaient: «Tant mieux s'il n'a pas de père qu'il connaîtrait. Il sera encore plus tout à moi et rien qu'à moi. Il sera forcé de m'aimer, de m'aimer de façon unique au monde. Il ne pourrait pas me divorcer; jamais. Il me devra tout, tout!»

En fait, elles sont si contaminées par les clichés des hommes — *faire* et *avoir* —, par les clichés de possessivité, par le romantisme et le capitalisme...

Ça me laisse songeuse sur les motifs qu'a Marie-Jeanne de vouloir garder son petit.

Tout ça pour dire que notre conversation n'était pas une théorie en l'air. Tu vois, les bonnes théories, elles font leurs preuves quand on en a besoin, en moments de crise. Autrement, c'est de la foutaise. Tes théories marxistes sur le sexe, si elles valent quelque chose, c'est maintenant ou jamais.

Ta Marie-Jeanne doit être marxiste. Non, ce n'est pas ça parce que les marxistes sont contre la plus-value; ils l'analysent, mais ils sont contre. S'ils étaient logiques, ils devraient être contre la bandaison et contre la grossesse.

FRANÇOIS

Laisse faire. C'est pas le moment, je te dis, pour la logique et les théories. Tu vois bien que je... oh! et puis, merde de merde!

ISABELLE

Oui, pauvre chéri, tu as bien raison, va!
Tiens, encore un peu d'armagnac?

FRANÇOIS

Bof, oui, une goutte.

Isabelle sert François et se sert elle-même.

FRANÇOIS

Non, non, tout ça, c'est un cauchemar.

ISABELLE

Pauvre chéri.

FRANÇOIS

On ne peut plus vivre séparés, Marie-Jeanne et moi,
mais on ne pourrait pas non plus vivre avec une autre
présence, un bébé, surtout avec un bébé qui ne serait pas
le nôtre.

ISABELLE

Tiens, tiens! J'avais bien raison, tout à l'heure, quand
je disais que, ce soir, tu voulais faire la grande demande
de dé-mariage. Tu lui avais sans doute promis que ça se
ferait avant que tu la revoies.

FRANÇOIS

Vivre avec un enfant qui ne serait pas de nous!

ISABELLE

Tu veux dire qui n'est pas de toi. D'abord, il sera

le sien; l'expérience qu'elle vit est irréversible. Ensuite, il pourrait très bien être le vôtre, si vous n'étiez pas si capotés, vous, les hommes. Si vous n'étiez pas si... géni-taux. Si tu rejettes une grossesse que tu n'as pas causée, c'est parce que tu veux vomir une relation que ton amante a vécue avec un autre homme. Tu ne peux pas accepter qu'elle soit la personne qu'elle est, qu'elle vive une expé-rience enrichissante en dehors de toi, surtout une expé-rience qui vienne de ce qu'elle a couché avec un autre mec, une expérience et une relation qui vont se perpétuer, persister dans un enfant qui va vous les rappeler jour après jour, dans le quotidien, comme tu dis.

Un enfant rempart, d'ailleurs: sa sécurité à elle, et aussi son affirmation permanente d'indépendance de toi, son affranchissement définitif de toi. C'est peut-être qu'elle te connaît déjà assez bien et qu'elle prend ses précautions, hein?

Mais si tu l'aimais assez, ta MJ, si tu l'aimais vrai-ment, est-ce que tu n'accepterais pas qu'elle veuille le conserver, son bébé à elle, quel qu'en soit le père?

FRANÇOIS

Avoir toujours sous les yeux...

ISABELLE

... Mais ce n'est pas pire que si tu vivais avec une femme qui aurait déjà eu un enfant, ou qui serait enceinte de son mari.

FRANÇOIS

Enceinte de son mari, ce ne serait pas pareil!

110

ISABELLE

Ah! non? Pourquoi?... Oui, je vois: d'après toi, un mari a toujours des droits sur sa femme, tandis que, quand il s'agit d'une compétition entre amants, c'est une tout autre affaire. MJ enceinte de son mari, ce serait tolérable, à la rigueur. Mais enceinte d'un autre amant, d'un autre que toi, c'est un cambriolage d'amour, un détournement de capital affectif. Dommage que notre droit soit vétuste et que tu ne puisses traîner ce mec devant les tribunaux, hein? Non seulement elle a trompé son mari — ce qui est normal, selon toi, vu que tu te penses sans doute meilleur que lui pour elle — non seulement elle a trompé son mari mais elle t'a trompé, toi, son grand amant. Quelle virtuosité dans l'affichage de sa liberté personnelle, ta MJ! Quelle maîtresse! et quelle maîtresse femme!

FRANÇOIS

Je suppose que...

ISABELLE

... C'est clair que, pour un moment du moins, MJ t'en a préféré un autre — pour un moment qui va se prolonger drôlement...
Pauvre François, voilà toute ta théorie sur le cocuage, celle que tu proposais si ardemment au début de notre conversation, la voilà le cul dans les épines!

FRANÇOIS

Oui, oui, tu as beau jeu. Piétine, piétine! C'est noble.

ISABELLE

Comme je disais, vous êtes tellement génitaux, tellement biologiques, vous, les hommes... Ça fout aussi par terre toute ta belle théorie sur l'importance de l'arrivée, qui serait plus grande que celle du voyage.

Vous faites passer la biologie, votre possession exclusive du corps d'une femme; vous faites passer votre sentiment de propriété sur le corps d'une femme et votre contrôle sur son droit d'en disposer librement; vous faites passer tout ça bien avant l'amour.

Ça vous ferait du bien d'être marxistes. Vous seriez moins exclusifs, moins possessifs. Vous devriez renoncer au droit de propriété privée sur nos corps — droit de propriété le plus abject qui soit! Vous devriez, obligatoirement, être cocus: par conviction, par fidélité à vos principes, et par intégrité existentielle. Vous concevez nos corps comme étant vos *choses*, vos choses sur lesquelles vous êtes les seuls, chacun de vous, à avoir les droits exclusifs d'érotisme, d'orgasme, de fécondation. Et quand vous ne voulez plus de nous, vous nous laissez là à nous morfondre. Il n'y a que le proprio d'une femme qui ait le droit de la faire gonfler, non? Vous faites les petits seigneurs et, si vous le pouviez, vous tireriez à bout portant sur ceux qui viennent braconner sur vos terres de chasse.

C'est bien triste de voir comment, pour vous, le cul et la biologie comptent plus que les relations humaines!

En fait, maintenant que tu es bien cocu, tu vas peut-être vouloir me baiser, non?

FRANÇOIS

Tu ne voudrais pourtant pas que... qu'une relation, forte, intense, se dissipe n'importe comment... dans un partage qui l'affaiblirait. C'est l'exclusivité qui garantit l'intensité.

ISABELLE

Non, l'exclusivité garantit une fausse sécurité. Mais ce que tu es incohérent! Repense un peu à ton beau plaidoyer pour le cocuage de tout à l'heure!

L'intensité n'est pas garantie par l'exclusivité mais par la qualité des sentiments. La qualité des sentiments, ce n'est pas votre fort, à vous, les hommes; vous autres, c'est la quantité!

En plus, vous êtes si romantiques, aussi romantiques que capitalistes. D'ailleurs, le romantisme et le capitalisme, c'est du pareil au même. C'est votre petit moi qui est important. Le moi qui se tâte, qui se demande s'il est bien heureux, s'il ne pourrait pas l'être davantage; le moi qui cherche à vivre toujours plus «au boutte», pourvu que ça ne soit pas trop dangereux, que ça ne demande ni grands efforts, ni renouvellements angoissants. Vous avez tellement peur d'être perdants dans le jeu de la vie. Vous vous raccrochez à tout ce que vous pouvez: argent, auto, femme, maîtresse, prestige, performance. C'est par peur que vous êtes si possessifs, par peur d'en manquer. De manquer de vous-ne-savez-pas-quoi, mais d'en manquer. Vous êtes des indigents. Et ça vous rend capitalistes; tu vois, c'est le romantisme qui rend capitaliste.

Si tu avais plus confiance en toi, tu serais moins timoré et plus heureux.

FRANÇOIS

Qu'est-ce que tu veux dire?

ISABELLE

C'est pourtant bien simple: un romantique, c'est un timoré. C'est quelqu'un qui survalorise son moi parce qu'il redoute que les autres ne le valorisent pas assez.

Son moi devient la mesure de toutes choses. S'il est triste, tout l'univers devient morose, funèbre; s'il se sent survolté, tout l'univers est ensoleillé. Un romantique, c'est quelqu'un qui cherche toujours la plus-value égoïste, la survalorisation de sa petite personne. Or la meilleure façon de se survaloriser, d'avoir de la plus-value, c'est d'accumuler du capital — capital fric, comme capital performance et comme capital femmes. Pour vous, les femmes c'est comme l'argent: il vous faut en avoir trop pour en avoir assez. Alors là, vous vous sentez bien nantis, avec un bon compte d'épargne, de bonnes réserves: capables de faire face au monde, sûrs de vous à cause de votre capitonnage contre les aléas du sort. Vos petits carnets d'adresses secrets, c'est comme vos carnets de comptes en banque.

Ce que je dis, c'est que c'est le romantisme, l'indigence émotive, qui est la racine du capitalisme, et que si tu étais moins romantique, tu serais bien plus généreux et, par conséquent, plus heureux. Il faudra que nous en reparlions quant tu seras plus en forme — moins romantique, justement... si toutefois nous avons encore l'occasion de nous parler.

FRANÇOIS

Mais écoute, tu tolérerais ça, toi, qu'un... qu'un parasite soit tout le temps là à te sucer le sang? Tu serais capable, toi, de vivre avec l'homme que tu aimes, tout en portant, tout en donnant naissance, tout en nourrissant, tout en élevant l'enfant qui te viendrait d'un autre homme?

ISABELLE

Si je voulais jouer le jeu des hommes, non, je ne le pourrais pas. Je me ferais avorter. Je me ferais avorter simplement parce que je me plierais aux clichés des hommes, pour qui la biologie compte plus que l'amour. Mais si je ne voulais pas jouer le jeu des hommes, si je voulais conserver mon autonomie, garder la tête haute, je ferais comme je sentirais devoir faire. Si je croyais devoir garder cet enfant, je dirais à mon bonhomme: «Prends-moi comme je suis avec ce que j'ai dans le ventre, ou bien fous le camp. Je ne renie pas les expériences que j'ai vécues, même si leur souvenir, même si leur témoin vit là, chaque jour, devant nous. Si tu ne me respectes pas assez pour t'en accommoder, ça veut dire que tu ne penses qu'à toi dans notre relation, que tu fais passer ta vanité de propriétaire offensé avant la vie d'un autre être humain et avant ma propre intégrité, et que l'idée que tu as de moi devrait me tyranniser.»

C'est ça que je lui dirais, à mon bonhomme.

FRANÇOIS

Avant la vie d'un autre être humain?

ISABELLE

Ben oui, si tu exiges de Marie-Jeanne qu'elle se fasse avorter, ou même seulement si tu le lui demandes, est-ce que ce ne serait pas faire passer ta vanité avant la vie de son bébé? Non pas que je sois contre l'avortement, remarque bien. Il y a déjà beaucoup trop de cons sur terre — c'est toi ou moi qui le disais tantôt — mais je suis d'abord et avant tout pour le respect des choix personnels.

FRANÇOIS

Ouais… c'est tout un sermon.

ISABELLE

... Écoute, François, ne vois-tu pas que j'essaye d'être le plus honnête possible envers toi? Et, pour moi, ça compte même plus que notre amour... enfin, que ce qui en reste. D'ailleurs, un amour ne saurait reposer sur la malhonnêteté.

Vois-tu, j'aurais peut-être l'occasion idéale de te ramener à moi, d'essayer, en tout cas. Je pourrais abonder dans ton sens, dans le sens de ton sentiment de propriété lésé et te dire que, en effet, c'est scandaleux qu'une femme qui prétend t'aimer te fasse une vacherie pareille, que ton amante t'ait aussi outrageusement trompé avec un autre, qu'elle démontre on ne peut plus clairement qu'elle est absolument indigne de toi, un gars si correct. Je pourrais ajouter que c'est une dévergondée, une sadique, une nymphomane, ou toutes sortes de choses pour la dénigrer, pour la diminuer à tes yeux, afin de te rendre lucide, conscient de sa turpitude. Je ferais appel à ta fierté, à ta dignité personnelle. Je ferais valoir toutes les bonnes raisons que tu as de revenir à moi, moi qui ne te trompe pas, qui te suis fidèle.

Mais je ne te manipule pas. J'essaie plutôt de réagir le plus sincèrement, le plus honnêtement possible. Je comprends ton désarroi mais, au lieu de l'exploiter à mon profit, au profit de notre relation, j'essaie de te faire voir plus clair en toi-même...

FRANÇOIS

... Ouais...

ISABELLE

Tu es encore trop bouleversé par ce que tu viens d'apprendre. Il va falloir que tu décantes un peu la mauvaise nouvelle encore toute trouble. Ça va prendre un certain temps, et beaucoup d'énergie nerveuse. Et après, ce sera à toi de décider.

FRANÇOIS

Eh bien, toi, tu... tu... je ne sais pas si tu vas trop loin ou si... si tu es une personne vraiment extraordinaire.

ISABELLE

Ma magnanimité pourrait aussi n'être qu'une manoeuvre de séduction, non?

FRANÇOIS

Ah! cesse un peu. Tout ça, c'est trop d'un seul coup. Laisse-moi retrouver ma tête...

ISABELLE

Oui. Au fond, tu as une bonne tête, François. Tu n'as qu'à la faire travailler un peu.

Dis-moi, tu savais qu'elle avait couché avec un autre homme, et assez récemment, malgré l'ardeur de vos amours? Elle te l'avait dit, non?

FRANÇOIS

Si. Elle m'en avait parlé.

ISABELLE

Ah! c'était... attends, c'était il y a un mois, à peu près. Quand tu faisais une de ces gueules et que tu buvais sec. Tu m'as alors raconté que ça allait très mal au bureau et tu voulais me faire avaler toutes sortes d'histoires pas très convaincantes au sujet du grand patron qui t'aurait rendu la vie impossible.

FRANÇOIS

Ça doit, oui... je ne sais plus... oui, c'est ça, à peu près un mois.

ISABELLE

Bon. Tu avais commencé à digérer et à accepter cet «accident». Tu étais même parvenu à l'interpréter en faveur de Marie-Jeanne, comme une sorte de preuve d'amour par l'épreuve... Et vous avez dû vous retrouver tout en larmes, avec encore plus de passion que jamais...

FRANÇOIS

... Bof, oui... En tout cas...

ISABELLE

Tu connais — ou tu ne connais peut-être pas, malgré ta grande expérience — une stratégie féminine pour inciter un amant à surmonter ses dernières réticences, à faire le grand saut: coucher avec un autre mec pour lui montrer que si lui, l'amant, ne se décide pas à tout lâcher pour elle, elle n'a pas tellement besoin de lui. Jouer sur la jalousie est toujours gagnant.

FRANÇOIS

Non, Marie-Jeanne ne saurait être manipulatrice.

ISABELLE

Naïf, va! Manipulatrice ou pas, c'est quand même cette «infidélité» qui a été le coup de pouce. Tu t'es rendu

compte que tu allais peut-être la perdre si tu ne te dépê-
chais pas à prendre les grands moyens. D'où la promesse
que tu lui as sans doute faite de me parler de dé-mariage
au plus tôt.

FRANÇOIS

Je ne sais plus... Il y a probablement un peu de vrai
dans ce que tu dis...

ISABELLE

Bien sûr qu'il y en a, et beaucoup.
Maintenant, les choses sont encore moins simples,
vu que l'«accident de parcours» a des suites et va vous
aiguiller vers un futur beaucoup moins idyllique que celui
que tu rêvais...
Pauvre François, va! Toi, un si bon gars, hein? Pauvre
chou.

FRANÇOIS

Oh! Isabelle... je... tu... tu

ISABELLE

Je... quoi?

FRANÇOIS

Tu... tu es compréhensive, spéciale... bonne. Comme
je voudrais pouvoir t'aimer comme tu le mérites.

ISABELLE

Oui, c'est ça. Tu commences à voir quel trésor tu
as perdu et combien tu as été stupide de me négliger.

M'aimer comme je le mérite? Ça aurait été de la bonne comptabilité.

Il est un peu tard pour que tu t'en rendes compte, non? Tu ne m'as jamais vue comme je suis. Tu n'as jamais vraiment pensé à moi. Tu m'as tenue comme acquise une fois pour toutes. J'ai été le quai de ravitaillement, le port où tu pouvais avoir un point d'attache nominal d'où partir en croisières. Et maintenant que tu voudrais revenir en rade, pour te faire radouber, tu vas trouver le port fermé, mon vieux.

Voilà. Ton piédestal domestique s'en va se promener et ton autre piédestal, plus glorieux, plus élevé encore, croyais-tu, est allé se faire foutre… au point que tu seras supplanté à son sommet par un petit bâtard. Tu vois la pyramide hiérarchique? tout au sommet: le bébé; son piédestal: Marie-Jeanne; et toi: tout en dessous, l'Atlas de ce monde merveilleux d'un grand amour. Et le plus emmerdant, c'est que le père du bébé sera toujours là, le dieu invisible en hommage à qui la pyramide est érigée… Prends ton pied, mon vieux! et sans piédestal!

Elle n'est pas bête, après tout, ta MJ, elle est même très forte. Elle empêche pour toujours que tu puisses la mettre à ta merci. En t'imposant son petit bâtard pas encore né, elle te met définitivement à ta place: sous le piédestal. Sous un piédestal qui va t'écraser toute ta vie. Imagine-toi vivant avec MJ. Vous avez de la visite, au moins de ses amis à elle si tu n'oses pas inviter les tiens: «Oh le joli petit marmot! Quand l'avez-vous fait? Mais il ne te ressemble pas, François!» Vraiment, chapeau, MJ! Son indépendance et son initiative forcent l'admiration. Non? Elle, tu ne pourras jamais la mépriser.

Va, François. Va la vivre, ta vie. Va vivre le cliché des hommes libérés, va vivre le scénario de ceux qui ont le courage d'abandonner ceux qui les aiment. Et ne t'inquiète pas pour moi, au cas où ça t'arriverait de penser à moi, à l'occasion. Déjà, je me sens tellement plus légère, tellement libre. Tu diras à Marie-Jeanne que je lui suis très reconnaissante de m'avoir débarrassée de toi.

Surtout, ne reviens pas coucher, hein!

François empoigne la bouteille de bas armagnac et sort en claquant la porte. On pourra faire tourner les premières mesures de La Complainte du phoque en Alaska *de Beau Dommage.*

F I N

Ce dialogue (comme beaucoup de dialogues conjugaux)
aura une suite bientôt. Elle aura pour titre :
DIALOGUE CONCUBIN.
Faut croire que la nature est ainsi faite...